JN071687

スマホ・ＳＮＳ時代の多事争論

令和日本のゆくえ

～脱原発から新型コロナ禍まで～

市川大河 著

日本地域社会研究所

コミュニティ・ブックス

まえがき

「生き苦しい世間だな」

実生活でもSNSでも、そう思ったことのある人は多いのではないでしょうか。世間はギスギスするばかりで、政治、思想、生活、原発、どれもこれも議論といえば聞こえは良いけど、言いたい放題の「論破ゲーム」ばかり。

さて、本書は私、市川大河が、当初はmixiで、その後は書評サイトシミルボンで、不定期連載してきた、コラムエッセイ「のようなもの」を、選り抜きで1冊にまとめたものになります。

それゆえに、話題的には既に古かったり、懐かしくなってしまっているディテールもあるかもしれませんが、テーマ自体は普遍性が高いものを選びましたので、まずはお読みいただければと思います。

私自身は、1966年に生まれた「現代っ子」「新人類」世代で、20代の頃は映画やテレビの現場で働いておりましたが、三十路の頃から物書きを始めるようになりまして、齢も53にして、本書が初の単著となる、泡沫ライターです。

そんな私が、若い頃から傾倒していたジャーナリストに、故・筑紫哲也氏がおりまして、筑紫氏が生前キャスターを務めていた、TBSのアンカー報道番組「筑紫哲也のNEWS23」の名物コーナーが、「筑紫哲也の多事争論」でした。

多事争論という言葉は、筑紫氏の発案ではなく、明治8年に福沢諭吉によって書かれた『文明論之概略』が出典です。

「自由の気風は唯多事争論の間に在りて存するものと知る可し」とい

う文章がそれで、異なる思想や意見を持った者同士が、ハンデを背負うことなく対等に向き合って話し合い、とことん議論してよりよい結論を共有しようという主旨になります。

そういう意味では、私は非常にエゴが強い人間ですから、油断すると他人を言い負かしてしまったり、自分の意見に従わせてしまったり、そういう愚行に走る可能性も高いのですが、2008年、筑紫氏が癌で逝去されてから、自分の中で意識を変えてみることにしました。

筑紫氏は、アンカーニュースキャスターの身でありながら、決して己の思想を、テレビを通じてスピーカーすることもなく、どんなゲストが来ても聞き役に徹していました。しかし、番組の最後のほうで、そんな筑紫氏の本音の片鱗が伺えるのが「多事争論」のコーナーだったのです。

筑紫氏逝去後、私はすぐさま、氏の遺志を受け継ぎたいナルシズムで、mixiで自分なりの多事争論を始めました。それらは好評を博し、そこから干支が1周して、今回の自薦集刊行に至ったという次第です。

自薦ですので、時系列はあまり正確に並べてはおりません。各章ごとにテーマを設けましたが、通読性を考慮してのことであって、それら各回を書いているときは、カテゴリは特に意識しておりませんでした。なので、読んでいただく方におかれましては、傑作選抽出の新聞の社説のようなもの、という認識を持っていただければ幸いかと存じます。

その書籍化、という意味では、シミルボンの記事をより広めたいというのもありますが、ネットのコンテンツは常に流れて消えていく、川の上の漂流物のような側面があるだけに、時事性の高い内容であっても、いえ、リアルタイム性に急かされるテーマであればこそ、こうして1冊にまとめて、広く多事争論の素材になれば、というのが、今回の私の発刊の真なる願いなのです。

私は Twitter 等の SNS もやっていますし、トークイベント等にも数多く参加しています。

私がこの書で皆さんに投げかけた提言や疑問、テーマなどに、もし、異論、反論、同意、気づきがあったのだとすれば、ぜひそういった機会等でご意見をお聞かせいただきたいと思います。

どんな思想も意見も自由に交わることができる社会。

それこそが、本書を通じて私がもっとも伝えたい、理想の社会であったりします。

どうか皆様、よろしくお願いします。

市川大河

目次

第一章
社会のゆくえ

脱原発のこれから 2019/12/24

さて、今日の多事争論です。

皆さんご存じのように私の本業は物書きでありますが、数年前の秋頃、少しその本業から離れたところで、イベントの企画などに巻き込まれまして、随分と振り回されたり徒労に終わったりという羽目にあっておりました。

私がそのとき企画を任されたイベントは、おそらく今も国民の一番の関心事でもある「脱原発」をテーマにしたトークイベントでありまして、いろいろあってこの企画はご破算になってしまったのですが、その企画の中で参加依頼者の一人から条件設定されたのが、今渦中の人となっている、山本太郎氏へのオファーでありました。

死んだ子の年齢は数えるなとも言いますので、詳しい言及は避けますが、山本氏の陣営は、それはそれはハリネズミのように厳重に警戒を張り巡らせ、私の連絡に対しても、マネジメント側が対応していただけたまではよかったのですが……。結果として、正式に交わしたはずの「連絡先の交換」という約束まで反故にされるという形で、その企画は幕を閉じた訳であります。

この時点で私の脳裏をよぎったのは、70年安保を越えたあたりの中核派や核マル派、カルトな武闘派新左翼による、秘密主義と懐疑主義でありました。

私が任された「脱原発トークイベント」の主旨は「政党や党派、組織対立を越えて、現状の日本にとって必須であり、近い将来に避けられない問題『脱原発』を、身近なものとしてとらえ、オープンな場で（あえて）あまり情報に詳しくない人たちを相手に、楽しく、笑いながら、『脱原発』

をスローガンにして頑張るとこんなに楽しいこともある。いろいろおもしろい出来事もある。『脱原発』は無粋な古いサヨクの武装闘争でも決起闘争でもなく、普通の“未来を考える市民みんな”が、普通に参加できてまず手応えと笑顔を分かち合える。そんな道行きなんだよ、と伝えよう」というものでありました。

その企画は、関係各方面の第一段階では、とても好意的に受け止めていただき、㈱ロフトプロジェクトさんのご協力も取りつけ、始動し始めました。

しかし、いざ人を集める段になりますと、一部の脱原発派の有名人の方々から、やれ、あの政党と一緒は嫌だ、やれ、自分の陣営のダレソレが来なければ参加しないという、いわゆるパワーゲームが始まってしまい、私はその交通整理に追われまくった挙句、結局、企画そのものが流れてしまったという顛末を迎えてしまいました。

これはもう、私のような世代から言わせれば「70年安保闘争・成田闘争敗退のパロディ」です。

目的は同じ、一つの目標を共有しているにもかかわらず、内ゲバと疑心暗鬼、内部闘争と秘密主義で出し抜かれないよう、出し抜こうと目をぎらつかせて、裏切り者と敵の粛清が、目的と手段を入れ替えて先鋭化してしまっている最悪の状況です。

そのような「セクト主義」「武闘派サヨク主義」に見舞われた結果、結局私のイベント企画は、契約破棄と取り決め放棄によって潰れた訳ですが、その直後（2013年秋）に、山本太郎議員の園遊会騒ぎが発生してしまいました。

これは結果として個人的には（皮肉などではなく）「我が身にとってしてみれば、僥倖なタイミングでイベント企画が潰れてくれたのだ」と思わざるをえません。

山本太郎氏の「秋の園遊会事件」といえば、今でも語り草になっている、天皇という存在に対して直訴状を手渡した「事件」です。

これは巷でも囁かれているように、かつて足尾銅山鉱毒問題を天皇に直訴した、田中正造氏を気取っているという風に受け取られても仕方ありません。

しかし現代は田中正造氏の時代と違って、天皇は国家元首ではなく、また、当時田中氏は天皇に直訴するに当たって、前もって国会議員の職を辞しておりました。

さらに、現代の日本社会には請願法という法律が存在しており、その第三条には「請願書は、請願の事項を所管する官公署にこれを提出しなければならない。天皇に対する請願書は、内閣にこれを提出しなければならない」と明記されております。

いやしくも参議院議員である山本氏が、この法律を守らないというのでは、国民に対して示しがつかず、政治不信そのものを助長させかねない危険をはらんでいます。

もっともこの請願法には罰則規定がない訳ですから、これをもってして刑事罰対象になったり、警察、検察が山本氏の身柄をどうこうするという話になる訳ではありません。

しかし永田町では与野党揃って、山本氏の議員の資質を問う流れが当時巻き起こり、一時期は議員辞職勧告決議案も辞さない流れにもなったことも、今や懐かしい過去話ではあります。

どうしてこんな流れになってしまったのか。

当時の騒動の主役・山本太郎参議院議員と共に、当時、脱原発運動の先頭で並び立っていたミュージシャン・三宅洋平氏との、二人の（事実上の）マネジメントを行なっていた、オペレーション・コドモタチ代表の横川圭希氏は、Twitter 上で「（直訴状手渡しは）山本氏個人の考えと行動によるものであり、周囲スタッフ、マネジメント関係者含めて誰一人として、事前には知らされていなかった」との旨を述べたことが残されております。

果たしてこの、肯定も否定も物証がない話が、どれだけの信憑性をもたらしてくれるのか。

先述した横川氏は、同じく Twitter 上で「僕らは、この状況を利用する位じゃないとダメだと思います」とまで述べております。

そこで天皇に手渡された直訴状の内容は、ジャーナリストの田中龍作氏によれば「子どもと労働者を被ばくから救ってくださるよう、お手をお貸しください」とのことで、これは明確に、天皇に対して政治参加を要請している内容と受け止められるのであります。

皆さんご存じのように、この国での天皇の位置づけはあくまで「国民の象徴」であり、太平洋戦争に敗退した際に結ばれたヤルタ・ポツダム体制を経て制定された日本国憲法では、皇室の政治関与は、それが言動であってもおいそれとは許されないのが現実なのです。

簡単な言い方をすれば、このときの山本氏の直訴事件はある種の政治的テロの要素も満たしており、その手段と目的は、請願法だけではなく、この国の根幹たる日本国憲法をも侵している可能性さえ否定できません。

原発事故対策が後手後手に回っている現状を最大限ふまえたとしても、「緊急事態であるから法をも犯す」手段が既成事実化してしまえば、脱原発を唱える人々は、皆国民からテロリスト予備軍のように見られてしまう可能性もあります。

「脱原発は是か非か」は国民の皆さんの個々の中に意見があるとは思いますが、では私のスタンスはと問われるのであれば、東日本大震災の頃からご存じの方はおられると思いますが、心情としては完全に脱原発に賛成の立場をとっております。

原発推進派が唱える「CO^2問題」や「発電量限界問題」など、嘘のメッキは剥がれてきています。

しかしこのときの山本氏のスタンドプレーは、脱原発を目指す者たちの足並みを崩すばかりではなく、地道に真摯に脱原発を唱え頑張っている人たちの足を引っ張っただけではないのかという懸念が、私の胸中からは今も消えません。

「過激な脱原発運動に酔いしれる一部の人々は、問題をよりスキャンダラスにするために、より目立つために、風評被害やデマをでっち上げて、ヒステリックなアジテーションをする」

これを読んでいる皆さんの中にも、そう思っておられる方がいると思いますし、正直、「そういう人がいる」現実は、私にも否定できません。自説が正しいと思えばこそ、なぜ理知的かつ冷静な行動で社会に対して、脱原発の必要性と対策をアピールできないのか。

仮に問題が今この瞬間も続いている「災害」だとして、一刻を争う問題だとして、では、警告を発する側は危機的状況のテンションに併せて、ただわめき叫べばいいというのか。

「そういう時」こそ、冷静な姿勢と対応、そして人々の生活の生理の中に飲み込んでもらえる、そんな運動とアピールと行動が、何よりも先に必要なのではないでしょうか。

むしろ皇室に関しては、2013年の直訴事件があったことで、今まで以上に原発問題や福島に関して発言や行動することが制限され、それが脱原発への道を阻害する要素となったとみる可能性も否定できません。

政治的権力も選挙権ももたない天皇を、強引に政治目的で巻き込む理由がまったく根拠不明であり、国会議員である山本氏は、むしろその職務を活かし国会の場で正式に脱原発を訴え、直訴状を手渡したいのであれば、その宛先は国家の政治最高責任者の安倍首相であるべきではなかったでしょうか。

その事件に関して、当時のネット等では「一部の熱狂的な左翼の支持者からは『よくやった』とか『行動するだけマシ』という山本太郎をかばうという意見」があったと、勝手にアナウンスされておりますが、それは左翼を気取った日和見主義者の妄言か、左傾思想を持つ人をテロリストという概念でしか捉えられない一部の自称愛国者たちによる捏造か、そのどちらかではないかとしか思えないのも実情であります。

繰り返しになりますが、そもそもからして、天皇に直訴して政治的事態の解決を依頼する行為自体、皇室の政治的権限の有効性を前提としたパフォーマンスであり、それはすなわち天皇の元首制を認めることに繋がります。

先ほど引用したネットの論調は、天皇制容認を前提としたする発言以外の何物でもないのです。

左翼的スタンスに位置する者が、天皇直訴などという前時代的なパフォーマンスと、皇室の存在価値クローズアップのような茶番劇を見て、激怒憤慨することがあっても、まかり間違っても「よくやった」などと褒める道理がありません。

「天皇陛下様に陳情申し上げれば、その恭しき御威光によって圧政は駆逐されるはず」という、「水戸黄門」のような思考回路こそが、そもそも愛国者右翼主義者そのものではありませんか。

本末転倒の批判とはこういうことを指すのだと思われます。

その上で、「現状の自分たちの政治的派閥抗争が不利な状況なのだから、一気に天皇に直訴し承諾を得て『現人神の御威光』で戦局を打開し、自陣に有利な方向へ社会・政治を動かしてしまえ」という、今回山本太郎氏が抱いたビジョンは、かつて戦前の軍国天皇制国家主義の時代に巻き起こされた安藤輝三をはじめとする、二・二六事件の首謀者や実行者である、当時の大日本帝国軍人の発想と行動そのままのトレースではないでしょうか。

脱原発運動の中には「左右の政治信条は関係ない。大事なことは『脱原発』だ」とアジテーションする人をしばしば見かけるのですが、私見ですが見渡す限り、そう口走る人ほど逆に、いざ事を興すに当たっては、自分の政治信条を強固に押し出したり、反目する政治信条の人物や団体を敵視し、内部ゲバルト状態に持ち込むケースが多いです。

これが、70 年までの安保闘争・学園闘争・成田闘争のパロディとしてのリフレインなのか、「人というのは結局、そのような状況下で運動を興すとそうならざるを得ない」のか。

それとも、「だから一般国民は市民運動や反体制的な言動は慎み、政治は政治家に任せよう」と「そう思わせようとする権力側のシナリオ」が稼働しているのか。

永田町の背景には疎すぎる私などには判別がつきかねますが、山本氏の参院選当選背景には、さまざまな人物や政党、団体の関与が取沙汰されているのも事実です。そこでは、さまざまな思惑が交錯し、要求や提案も整理する間もなく飛び交うと思われます。

そういったストレスの渦中になると、時として人は「ギャクギレ」を起こしかねません。

70 年代までの市民運動系の闘争は、常にその流れで追い詰められストレスを飽和させられ、意味も意義もない内部闘争や、ギャクギレ的一発逆転狙いの社会的騒動を誘発されました。

結果として「市民運動、学生運動は危険。反社会的なテロリストの行為だ」という結論へ印象操作されて誘導され、その効力と持続力は削がれていったのが70年代までなのです。

私には、すでに山本氏の真意がどこにあるのかもわかりません。

個人の思考パターンとしてはとうてい理解できる範疇にあるものではありませんし、周辺スタッフやマネジメントサイドが、逃げ口上のように「本人以外は与り知らぬこと」と言い、それが本当であるならばなおのこと、彼の真意を知ることは誰にしてみても不可能であります。

しかし、一つだけはっきりと言及できることはあります。

山本太郎なる人物が、2020年以降の今後も「自分の信じた手段と方法（と自分で思い込んでいる）」を続けようとするのであれば、脱原発への道は開かれるどころか遠のくばかりであり、それが誰のシナリオか、個人の描いたものかすら判別はできませんが、見るからに予定調和のように、脱原発運動はかつての反安保運動や学生運動のように、白眼視され、カルト扱いされ、反社会的活動との烙印を押されて自滅していく」でしょう。

山本氏が「そこ」まで見越されての「目立ちやすい使い捨てのコマとしての人形」であるならば、その役割そのままの末路が待っているでしょうし、仮にそうではない、冷静理知的かつ純粋な「この国の未来を考えて」尽力したいのであれば、まずするべきは、田中正造の真似でも二・二六事件首謀者の真似でもないのではないでしょうか。

やるべきは「スキャンダラスな恫喝的表現を用いず、あるがままをありのままに伝え続け、事実と裏づけのある予測データだけを、権力システムが無視できなくなるレベルにまで証明し、国民たちが自発的に、エネルギー問題や放射線問題を能動的に考えるようにしていく」ことであり、今、彼が立ち上げてる「れいわ新選組」も、「そこ」へ向かうべきであり、山本氏がこの先、攻撃され追い込まれ、自暴自棄になり一発逆転を狙った結果、逆効果を生むのは、権力側の思う壺であるのだということに、速やかに自覚を求めたいと思います。

「右でも左でも構わない」という魅力的なフレーズは、ルール無視の無法者を許容する合言葉ではありません。思想かくありきの行動は、人の生理を否定してしまうものだと私も解しますが、まずは法治国家である以上、そこで皆が共有している法律やマナーや常識を、覆したり犯したりすることでしか得られない結果は、誰も幸せにできないと思います。

「この国はどこへ行くのか。どこへ向かうべきなのか」

山本氏が起こした2013年の騒動は、6年の歳月を経て思い返すとき、他ならぬ山本氏自らが望む道行きとは、全く反対の方向へと、この国を一歩推し進めたのではないかと思っています。

戦場での、上司と部下の解釈論

2019/04/10

私がシミルボンで「『機動戦士ガンダム』(1979年)を読む!」という連載をもっていることをご存じの方は多いと思います。
その「ガンダム」の劇場用映画「機動戦士ガンダムⅢ　めぐりあい宇宙」(1982年)における1シーン(1カット)が、今現在Twitterを中心に、無意味でナンセンスな論争を巻き起こしているのです。
私が行なっている「再現画像」でいえば、こういうシーンです

「そこ」は戦場の塹壕が舞台で、ロボット同士の戦争が最終戦で激化

する中、２機のザク（敵の軍事兵器ロボット）が登場するカットです。

「ガンダム」の劇中設定で、頭部に角があるザクは指揮官用で、角がないザクは一般兵用と当時から認識されていました。

シーンを簡単に説明すると、「両軍入り乱れての、大乱戦が続くクライマックス。塹壕に残っていた２機のザクのうち、角ザクが必死に抵抗する部下ザクを塹壕から押し出して、前方に向かって鼻息を出しながら指を指す。追い出されたザクはそのまま戦場に向かって画面を去るが、次の瞬間には敵のミサイルが塹壕に直撃して、角ザクが吹き飛び、首だけが宙を舞って終わり」というカットです。

私の恣意的な文章になってしまうかもしれませんが、これでもかなり中立的に文章で再現したつもりです。

あえていうなら、「戦争を扱った娯楽」には、よくある演出です。

上官が無理な突撃命令を出し、嫌がる部下たちに「上官の命令は天皇陛下の命令である！」とか「上官の命令を聞けぬ者は軍法会議に処す！」とか、権威だけを振りかざし、部下の命を軽んじて、そこで悲喜こもごもが生まれる。

よくあるドラマツルギーです。ありがちすぎて今ではメインテーマにすらなりません。特に日本人がこの描写を入れたがるのは、日本が太平洋戦争で最後に行なった、「神風特攻隊」作戦が、まさにその頂点の狂気だったからかもしれません。

次に。

このシーンの、富野由悠季総監督の絵コンテを見てみましょう。

そこでは明確に「暗いタコツボ。1 機のザクをおしやり、自分はタコツボにかくれてしまう」と書かれています。決して「部下のザクを逃がしてやり、自分が身を挺する」とは書いてありません。「かくれる」という指示が、指揮官ザクの卑怯さ、保身を明確に表現しています。

さらにこのコンテを基に、ブラックギャグを作画監督・アニメーションディレクターの安彦良和氏が描いたのが問題のシーンだったというだけの話なのです。

ところが。

現代ではどうでしょう。

右傾化し、「太平洋戦争は正しかったんだ」「真珠湾攻撃も、アメリカに騙されて日本が悪者にされたんだ」を、平気で言える国になってしまった。そんな現代では、同じ「ガンダム」のシーンを見ても、

「これは、人情味あふれる上官が、危険な塹壕から部下を逃がすためにむりやり押し出して、我が身を犠牲にした、泣けるシーンである」

そうとらえる、認知のゆがみを抱えた人が 10 人や 100 人ではなく、驚くべきことに論争を起こすほどに大量に発生して、最終的には「作劇の表現は、100 人いれば 100 通りの受け止め方があるので、どんな受

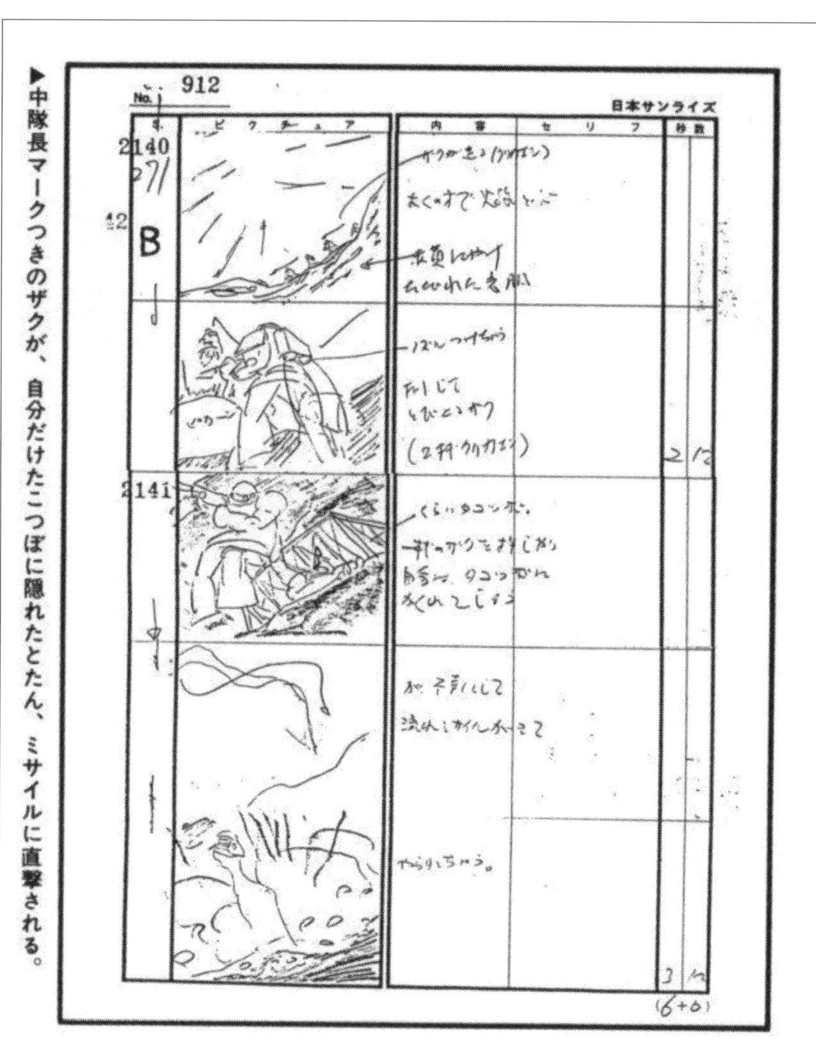

▶中隊長マークつきのザクが、自分だけたこつぼに隠れたとたん、ミサイルに直撃される。

（出典：『テレビマガジンデラックス９　劇場版機動戦士ガンダムⅢ　めぐりあい宇宙アニメアートブック』講談社より）

け止め方をする人がいたっていいじゃないか」という、とても危険な結論でオチをつけようとしています。

実際には、動いているアニメーションの演出を観れば、子どもにもわかるぐらい（ここを演出した富野由悠季・安彦良和コンビは、わざとらしくギャグ的にザクの動きを誇張して、「戦場の悲劇」を滑稽にカリカチュア化しています)、「小心者で臆病で上官の命令に逆らえない部下のザク」が生き残り、「上官であることを理由に、自分だけ安全地帯に残り、部下に突撃させようとした指揮官ザク」の首が飛ぶ、という演出をはっきり描いています。

これは「戦争という状況下での人間の醜さ、そして戦争行為が浮き彫りにする人の小賢しさ」を描く典型的ルーティンであり、70年代までは、コメディ戦争映画やドリフターズの戦争コントなどでは必ず描かれていたシチュエーションであります。

似たような時代性、似たような悲喜劇でいえば、今もまだ漫画界でトップを走る大友克洋氏が、1977年に漫画アクションで発表した短編漫画『夢の蒼穹』（単行本『ショートピース』収録）でも、似たようなシチュエーションが描かれています。

なので、これはもう、「解釈の幅」の問題ではありません。

「それ」が認められるならФёдор Миха?йлович Достое?вский;の『罪と罰』を読んだとして「人を殺しても物を盗んでも、悪いと思わなければどうということはない」という「テーマの受け取り方」も「そういう受け取り方もあり」になってしまうのです。

「あり」か「なし」か、「あってはならない」のかという議論になれば、私はそれでも「人それぞれの解釈があってもよい」とは思います。

しかしそれは例えば、あなたが誰かを本当に好きになって「愛してま

（出典：『ショートピース』大友克洋著　双葉社）

す」と告白したのに、相手はそれを冗談としか受け止めず、気にも留めなかった結末と変わりはありません。
片思いに苦しみ、悩み、勇気を振り絞った告白を、よくあるジョークとしてしか受け止められなかった。これでは告白者は、あまりにも惨めであり、告白になんの甲斐もないではないでしょうか。

これは「作り手」があまり言ってはいないのですが、「表現」に「正解」はあるのです。
当たり前です。モノヅクリは「気分」でやれるものではありません。「作劇」はニュアンスと思いつきでできるほど簡単ではありません（プロに限る）。
常に細部まで気を配り、送るべきテーマを因数分解してあちこちに含めて埋め込み、それらの伏線を回収しながら、表現者の中で一貫した「正解」へと向かって集約されてできあがっているのです。
けれども、それを誤読されれば、誤読した人を責めるよりも「ちゃんと正解を理解させられなかった作り手の落ち度」とするのが美徳らしく、だから表現者は最初から自戒含み「解釈は観た人すべてにご自由に」と言うのです。

ならば。
公開の1982年当時は誰からも出てこなかった「あのザク指揮官は身を挺して部下を助けた名軍人で」という阿呆で間抜けな「不正解の解釈」がなぜ現代において、無数の群像としてまかり通るのか。

それこそが、時代性と社会性の帰結なのだと私は思います。例えるなら、それこそ「ガンダム」のころの、40年前の時代、ドラマや映画の作劇で、そこで登場した政治家が「日本も核武装すべきだ」「志那人なんてろくでもない」なんて発言する作品があったら、それがパロディかコントでもない限り、「あり得なさ過ぎてリアリティがない。そんなことを思ってても口走る政治家がいるわけがない。サヨク作家の夢見がちな中傷描写にしか見えない。バカバカしい」で切って捨てられていたのです。

それがどうでしょう。

昨今の安倍政権の閣僚たちは、こぞって「40年前ではフィクションの中でさえ説得力に欠けるような、ありえない言説」を垂れ流ししています。

現代では、過去の史観に囚われず、真実をみんな叫ぼうぜとばかりに「太平洋戦争は日本は悪くなかった」「あれはアジア解放戦争であって、アメリカとソ連に騙された日本が被害者だ」などという、まるで「王様は裸だという真実を叫ぶ少年」気分で、既存の価値観（真実、事実含む）を逆転させて説得力を付加させた者が目立ち、SNSでバズる、といったような「気分」で社会が流れています。

だからこそ、この40年間で変質したコモンセンスが、40年前の名作の1シーンに「あり得ない解釈」を生み出し、共鳴を起こさせ、一つの解釈の「正解」の衣をまとっているのでしょう。

「コモンセンス」はそうして時代と共に変わっていく。

だから私たちは、そのコモンセンスのリテラシーを、共有しながら一定以下にならないように、コントロールし律していく意識をもたなければならないのではないでしょうか。

平成天皇生前退位とSMAP解散

2016/08/19

手塚治虫（1989年）、美空ひばり（1989年）、松田優作（1989年）、石原裕次郎（1987年）、松下幸之助（1989年）、田河水泡（1989年）、泉重千代（長寿世界一〈当時〉120歳1986年）、平沢貞通（帝銀事件死刑囚1987年）、五島昇（1989年）、渡辺晋（1987年）、岸信介（1987年）、椋鳩十（1987年）、十七代目中村勘三郎（1988年）、隆慶一郎（1989年）

えぇ、今日は少し、不謹慎なのか、むしろその逆なのかという話をしたいと思います。

それはかつて、昭和天皇が崩御した、1989年へと、少し記憶を遡らせるところから始まるのですが。

その数年前、1987年あたりからでしょうか。昭和天皇の崩御が1989年の初頭が公式発表であったことを考えると、実際の崩御よりも1年ほど前からですかね、それこそ「昭和を代表した人」という方が次々と逝去されるというショッキングな訃報が連続しました。

もちろん、いつだって有名人が亡くならない日はありませんし、なにをもってことさら、昭和の終わりにその印象をもったのか。これをロジックとして説明するのはかなり困難なのですが、今回、冒頭で記したような、まさに「昭和という時代を作り上げた人」たちの逝去が、昭和天皇崩御の前後計2年半少しの間に集中しました。

「経営の神様」と呼ばれた、松下電気器具製作所（現・パナソニック）の創業者、松下幸之助氏をはじめとして、当時長寿国・日本の象徴であり、長寿世界一だった泉重千代氏と、戦後最大の冤罪事件で、死刑確定のまま獄中死した平沢貞通氏、首相在任中ノーベル平和賞候補に推され、日本政治の最初のドン、自民党の初代幹事長だった岸信介氏らは、確かに適度な寿命の上での天寿のまっとうだったのかもしれませんが、日本の戦後芸能史を築いた渡辺プロダクションの創設者・渡辺晋氏や、父・五島慶太から引き継いだ東急グループを大きく成長させ、また、文化にも貢献した五島昇氏等は、平均寿命よりはまだまだという年齢でありましたし、それこそ昭和天皇崩御の1989年の、手塚治虫氏、美空ひばり氏、松田優作氏、この３人は、老若男女の人々が、それぞれ「昭和」を思い入れた文化の頂点であり、1987年の石原裕次郎氏を含めて、ここで昭和の文化・風俗・芸能を含めた、まだまだ寿命とは程遠い功労者が、立て続けに逝去されたというのは、当時を思春期以上の年齢で経験された人にとっては、私だけではなく、生々しい記憶だったと思います。

確かに、昭和天皇ならずとも、皇室は全て「人間」です。
日本書紀だの、古事記だのは、シビリアンコントロールを目的に後づけで書かれた、歴史修正主義の極みとしての政治的神話であって、アレが事実かもしれないという思いは、冷静に排除しなければなりません。

そして、私自身、唯物主義者とまではいかないものの、かなり、思春期以前からスピリチュアルな現象に関しては懐疑的なスタンスを保っています。70年代中盤に社会現象化したオカルトブームに対しても「結局自分が体感できる範囲内では、オカルトな現象も体験もなかったから」という、身も蓋もない理由で、オカルト的な事象やスピリチュアルな価値観には、冷めた距離をおいて、どこかで見つめている自分がいます。

しかし一方で、左翼主義で、反天皇制主義者の私でさえも「ここまでくると、崩御された昭和天皇が、共に『昭和を築きし者たち』を、殉死のような形で〝引っ張った〟のかもしれない」と、思春期の終わり、20代初めの頃に思ってしまったのも事実なのです。

天皇陛下が、自らの時代の終わりと共に、自身の時代を象徴する民間人や、多大な功績を遺した功労者を、霊的な何かの力で殉死へといざなうという話は、私も確かに聞いたことはありませんし、そういった風習や伝説もないはずです。
大正天皇までの時代の崩御では、自らの意思で殉死という概念はあったようですが、それらは前時代的な価値観からくるナルシズムによる自死ですし、こういった“現象”とは、わけて考えるべきものであると思います。

では、やはり天皇、皇室には、そうした霊的な能力が備わっていて、天皇自らが死すときには、個人の意思とは関係なく、その前後に、自らの時代を中心で彩った「時代の代表者」たちを、悪い言い方ですが道連れにして、その生命をまっとうするのかという問題は、これはやはりロジックと科学では与太話以上の進展はないだろうというのが、常識的結論だと思う次第でありますが。

確かに「昭和を代表する文化人。政治家。有名人」というのは、この時期にすべての皆さんが亡くなったわけではなく、近年でも、著名人の訃報が知らされるたびに「これでまた一つ、昭和が遠のいた」などと嘆かれる光景は、これもSNSやネットでは恒例になってきつつある光景ですが、しかし、それでもやはり、この「昭和が終わり、平成が始まる前後２年間」がもたらした、霊的な何か、不安感や神秘性というのは、格別であったという思いは強いのです。

さて、そこで冒頭の、昨今を騒がしている、国民的アイドルグループ・SMAPの解散騒動ですが、これを初めて聞いたとき、私などからすると、まさに、今書いた昭和後期の流れが思い出されました。
と同時に、数奇な一致をそこに見出すことも可能だったのです。
確かに、昭和天皇と裕次郎や美空ひばり、松田優作氏らを繋いだ現象は「死」ですが、今回の平成今上天皇は、その命を終えるのではなく、生前退位を自ら望んだ発表を行ないました。つまり「平成天皇」という存在は失われますが、御本人が亡くなる、崩御するという話ではないというところがポイントになると思うのです。

SMAPというアイドルは、その結成は1988年。

まさに、今昭和が終わり、平成という時代が産声をあげようかという瞬間に結成されたアイドルグループです。

SMAP自体の、日本の平成の芸能史に残る活躍は、これは皆さんご存じのとおりで、SMAPの歴史は、平成という時代と共にあったということ、平成という日本の、ある種閉じた時系列を、芸能方面で、テレビの世界で、一番象徴していたのが、SMAPという一つのグループであることに、異論がある人も少ないでしょう（ハロプロやAKB等の女性アイドルグループは、確かに瞬間最大風速はSMAP以上のものがあったかもしれませんが、継続性という点では、とうていSMAPにかなうとは思えません)。

そしてまた、ここへきて、平成今上天皇の生前退位希望とほぼ同時の解散宣言です。

その「どちらも表舞台から姿を消すだけであって、決して生命的に死亡するわけではない」という共通性も、いかにも現代的であるし、平成を象徴する去り方だなと思う反面、平成今上天皇による、穏やかな「引っ張り」の、残酷さと優しさを、同時に垣間見れるような気さえします。

おそらくこれは、確かに私自身の身勝手な思い込みなのではないかとは思います。

同様の現象が、あと少なくとも二つか三つ、起こらなければ、第三者的には「ただの偶然」で終わってしまうトンデモな見識でしょう。

しかし、反天皇制主義者の筆者の中にすら、「天皇が交代して、元号が変わるとき、国民の社会土壌、文化状況もまた、何かの外的要因の力で、変貌せざるを得ず、終わるべきものが終わるのだ」という思いが強いという前提で考えた時、SMAP 解散騒動は、果たしてこの認識の、典型的発露であると思わざるを得ません。

さすがに昭和天皇崩御が、国境を越えて外国にまで影響を与えたと思ってしまうのは無理がありますが、昭和天皇崩御の 1989 年は、ドイツでベルリンの壁が崩壊し、40 年近く続いてきた東西冷戦に、ビジュアル的な終止符を打った年でもあり、一方で「最後の巨大共産主義国家」である中国で、民主化を求める若者たちのかつてない大きなデモと、それへの凄惨な武力鎮圧でもある「天安門事件」が起きた、北半球の世界情勢にとっても、重要なターニングポイントになった年であったことも確かです。

SMAP の解散の裏事情や、脱退騒動からこっちのスキャンダラスな問題に、私は興味こそありませんが、SMAP という、日本の芸能界の要であったアイドルグループが、平成天皇の生前退位報道と共に解散するという奇妙な一致は、これからの時代が、新しい、過去の統計や逆算からは計れない時代の到来を予見しているということは、ふまえたほうがよい現象なのではないでしょうか。

それは、テレビで絶対的なガジェットとして機能していた SMAP が解散し、個々の活動も当然のように縮小していく中で、昭和から続いてきた「テレビの文化」というものが、本格的に致命的に衰退していく歴史的変換の瞬間に、私たちは立ち会ったのかもしれません。

幼少の頃から、テレビと共に人生を歩み、一時期は仕事の場としても歴史を共にしてきた筆者からすると、まだこの先の状況変化は何も予見できませんが、さあそろそろ、膝を揃えて「時代の終わりと始まり」を、心の準備をもってして迎える覚悟が必要なのかもしれないと思わせられました。

昭和天皇崩御の 1989 年は、バブル景気のピークとして記録されていて、その年の東証大納会の終値は、3 万 8915 円 87 銭の史上最高値を更新し、大卒の有効求人倍率は 2.68 倍と空前の売り手市場であり、時の自民党政府は、とうとう消費税３％を導入した年でありました。

しかし、この章を書いた 2016 年は、アベノミクスの成果とやらもどこへやら、不景気と就職難はいまだ戦後最低のレベルを漂っており、消費税は 10％導入が決定され、昭和に制定された日本国憲法の改憲まで調子に乗って言い出している始末の状態です。

このまま、仮に今上天皇が生前退位されたとしたら、昭和の終わりと平成の終わりは、あらゆる意味で対照的であるともいえるのではないでしょうか。

平成天皇の次は、当然新しい天皇が鎮座し、新元号が定められるでしょうが、解散していく SMAP の代わりを務められる、あれだけのカリスマ性を持ったアイドルグループが、果たしてジャニーズ事務所からでも、他からでも、次の時代に生まれるという保証はありません。

むしろ、何も光明が見えない中で、命さえ奪わないまでも、ひょっとするとこの先も「平成を象徴する存在の勇退」が、続くのかもしれません。その時、私たちは、感謝の念をもって見送るべきなのでしょうが、その後に発生する「空洞化時代」を、何をもって埋めていくのかと考えたときに、最善の方法はやはり、私たち個々が、アイドルという存在を待望するのではなく、戦後民主主義の根幹に一度戻って、国民一人一人が、

時代を象徴していく先端に立たなくてはいけないのではないでしょう
SMAP 解散宣言は、そのことを私たちに、問い求めているのかもしれません。

そして、ここからが本書での加筆になりますが、ここまで書いてきたように、SMAP は解散しました。しかし、そこから本書刊行までの 4 年の間に、ここまでの、解散前に記した文章で言及した殉教者のように、なんとジャニーズ事務所の社長であり、ジャニーズ王国の主であったジャニー喜多川氏が 2019 年に逝去し、それを受けた形ではありませんが、SMAP に次ぐジャニーズのアイドルグループ・嵐が 2020 年をもって解散を宣言。SMAP 解散後もジャニーズ事務所残留していた中居正広氏が、2020 年春に突然独立を宣言しました。その現象は雪崩のように波紋を呼び、やはりジャニーズトップアイドルグループであった TOKIO の一番人気だった長瀬智也氏も、2021 年に事務所から独立を表明しました。

やはり私は、この流れにスピリチュアルなものを感じざるをえません。

終戦記念日とハイサイ沖縄

2016/08/15

私が幼稚園の頃のことです。

終戦記念日に母親がこんなことを言い出しました。

「人生では、どこかで必ず一回、戦争に巻き込まれることになってるんだよ」

今の若い人は失笑するコメントでしょう。
なんとも無知な、無教養な、情報弱者だとゲラゲラ笑うでしょう。

でも、そのときの私はそれを頭から信じ、自分の輝かしいはずの未来に、一気に暗雲が立ち込めて暗い思いになりました。

政治や軍事に疎い多くの国民にとって、第一次世界大戦や日清戦争、日露戦争、中国戦争、太平洋戦争に至るまで、明治・大正以降に生まれた日本人は、常になんらかの形で、世代のどこかで戦争に巻き込まれて人生を送り続けました。
それらを先祖や家族から聞き、自らも巻き込まれた第二次大戦経験者にとって、第二次大戦が最後の戦争だなどと言われたところで、にわかにそうとは信じられず「キレイごとをならべていても、どうせ次もおきるんだろ」そう思わせながらの71年という年月になっていったのだろうと思われます。

終戦記念日になると、必ず取りざたされるのが憲法９条問題ですが、私にはどうしても、その論戦に関して重心をおいて語ることができません。

もちろん、国家の都合で９条を変えようだとか「国家が国民に対して守ってみせなくてはならない」唯一の法律・憲法を、守る義務のある国家の側が、変えてみせようというのは言語道断なのですが、私にとっての心の聖地・沖縄の現状を思うとき、すでにそれは、どう考えても憲法９条が放棄された状態であり、沖縄に対して明確な解決を行なわないでおいて、憲法９条をどうするこうするというのは、私にはどうも、絵に書いた餅の世界にしか思えません。

皆さんはあまり意識されておりませんが、太平洋戦争で沖縄は、日本固有の領土内で唯一、地上戦がおこなわれた土地であり、もちろん日本本土の戦争被害者は、空襲の死者や原爆の被害者など、数知れず多いわけですが、敵兵の群れに身をさらし、直接銃剣で殺されたのは、琉球の民だけであったのです。

その土地を、敗戦した日本政府は、アメリカへの隷属の証として、戦後もアメリカに貢ぎ捧げたままの戦後があります。

かつて、沖縄が日本に返還された直後の 1976 年。まだ珍しかった沖縄の方言ウチナーグチを取り上げたヒット曲に「ハイサイおじさん」というのがありました。

ご存じない方に先に申し上げておきますと、「ハイサイ」とは、ウチナーグチで「こんにちは」の意味です。

つまり、この曲は琉球の一人のおじさんに「やぁこんにちは」と語りかける、会話の曲なのです。

「ハイサイおじさん」自体は、明るくポップな曲調と、今一歩理解はできないけれど、どうやらお気楽なお調子者のおじさんと、何をしているのか尋ねる思春期の青年という図式で奏でられる、まるで酒盛りでの盛り上げソングのように聞こえましたが、そうした組み合わせによる、徹底した社会風刺ソングという意味では、本土のナイチャー（日本人）の間でも「老人と子供のポルカ」という曲が、70 年安保の終結とともにヒットした背景があります。

その「老人と子供のポルカ」のときは、その詩の持つ社会性ごと話題になりましたが、「ハイサイおじさん」と琉球、そしてその詩が本質的に描こうとしたものを感じ取ったナイチャーは、少なくとも当時は、ほぼ皆無だったのではないでしょうか。

「ハイサイおじさん」での、青年とハイサイおじさんの会話は、徹底して酒や女、ハゲや金の話など、どうでもいいような話が、ハイテンションのテンポで延々続くだけです。誰もそこから、社会性を読み取ることはできません。

その「ハイサイおじさん」は、当時これを作った、今も沖縄ミュージシャンの中では伝説の人になっております、「すべての人の心に花を」でご存じの方も多い、喜納昌吉氏が高校生の頃の実体験を元に作った曲です。

つまり、この詩の中に登場する、おじさんに語りかける青年は喜納昌吉氏自身の姿であるわけで、そうなると、当然、語りかける相手の「ハイサイおじさん」も、存在していたのです。

酒に溺れ、罵詈雑言を投げつけるだけの、まるでARBの「Do it Boy！」に登場するような、この「ハイサイおじさん」とは、どんな人物だったのでしょうか。バックボーンに何があったのでしょうか。

共同通信のインタビューで、喜納氏はこう答えました。

女の子が毛布に包まれて横たわっていた。父親が「なぜこの子の足は冷たいの」と毛布を取ったら首がない。父親は魂を落としたような顔で、しばらく言葉を失った。

母親が自分の娘をまな板に乗せて斧で首を切り落としたのである。さらに母親はその頭を釜で煮て、「自分の娘を食べて何が悪い！」と叫んだ。

「戦後、家を失ったり精神的におかしくなった女性がたくさんいた。事件の家の父親もそんな女性を家に連れ込むから夫婦げんかばかり」

その後、その母親は自殺、父親は酒に溺れてゆく。

「顔を出すと僕に向かって古い民謡を歌う。ハイサイ（こんにちは）と声をかけて僕も酒をあげる。それを繰り返しているうちに歌を作ってあげようね、と急に思った。ダンダダンダダンとリズムが生まれてきて」

不思議な感動だった。最初の作品「ハイサイおじさん」は、こうして生まれた。まだ高校生だった。

（出典：「アジアに広がる『花』」の歌 ミュージシャン喜納昌吉」
共同通信社の編集委員室が作る企画ページ）

さて、この詩の本当の意味は、こうして今皆さんにお伝えしました。それをどうとらえ、不謹慎なのか深遠なのか、反社会的なのか、日本人全員が受け止めなければいけない現実が「そこ」で暴かれていたのか、感じる人はそれぞれでしょう。

これをして「戦争はいかん」と怒ってしまうことは、とても簡単なことですし、どんな軍国主義者に話をもっていっても「戦争自体はいけないことではある。だが」と片づけられてしまうのがオチでありましょう。

私たちが、戦後を忘れ、先進国化に浮かれ、安保も五輪も万博も浮かれ通り過ぎた後に、「日本が沈没するかもしれない」「1999年に世界は滅びるかもしれない」「UFOに乗った宇宙人に地球が狙われるかもしれない」といった不安感が蔓延した70年代中盤に、日本中の人々の心を、明るさで救ったこの大ヒット曲は、その日本に、戦争という手段で捨て駒にされ、その日本が戦後の繁栄と引き換えに、米軍に叩き売った島国から流れてきた、その戦争という悲劇の裏で、さらに起きる人の悲劇を裏側から見つめた歌だったのです。

この図式が、平凡な反戦や左翼的啓蒙運動にみえる人には、先日の今上天皇生前退位問題もきっと「今の天皇は昭和天皇より脆弱だから、公務が辛いんだろうからもっと楽にさせてやれ」程度にしかとらえない人と同類なのではないかとさえ思うのです。

物事は、いつでも単純ではありません。

悲劇と喜劇と、狂気と笑いは常に背中合わせで、だから人は、狂わぬために笑うのです。笑った果てに狂うのです。

問題は、その引き金を引いたのが、大東亜共栄圏思想の日本帝国であり、その「狂気の悪行」という形での発露としての戦争さえなければ、琉球の人たちが死ぬことも、狂うこともなかった。これは簡単な因果関係で成り立っておりまして、なおかつその「日本が起こした戦争が、発生させてしまった狂気」はこうして、日本国民が、終末だ、高度経済成長も終わりだと、一通り浮世の花を咲かせた後に、ひっそりと喜劇歌の形を伴って、私たちナイチャーの島へ向けられて、放たれたわけです。

しかし、それを、送り主の意図のままに、あるがままに受け入れたナイチャーは、当時は誰一人いなかったのかもしれないという。それは、今の日本社会、日本の歴史認識、日本の沖縄へ対する扱い方、日本における沖縄の立ち位置的に、「誰一人いなかった」としか言えない現実が、証明してしまっています。

私たちは、自分たち日本という国が、沖縄にどれだけの傷をつけてしまったのかを、推し量る想像力を鍛えきれてきませんでした。

この 70 年。愛する家族を殺され、愛する家族を殺すまで狂い、家と土地を奪われ、外国人に蹂躙され、常に外国の戦争の中継基地にされ、今また今度は、自国の戦争の拠点にされようとしている、愛すべき隣島である琉球、沖縄が、どんな胸中で毎年、この 8 月 15 日を迎えているかを。

そんな沖縄出身で、「ウルトラマン」（1966 年）の昔から、子ども向けドラマ一筋で脚本を書き続けてきた、文化人・上原正三氏は、こんなことをおっしゃっていました。

沖縄は隆起サンゴ礁の島なんだ。
島人（シマンチュ）はそのサンゴ礁の呼吸に合わせて生きている。
例えばサンゴ礁がオニヒトデに食い尽くされて死滅したとする。
だけど数年すると無数の卵が潮の流れに乗ってやってきて着生する。サンゴ礁は元通りに蘇生する。
島人はサンゴ礁の申し子なんだな。
21 世紀の今、物質文明も、それを享受してきた人間の心も、追い詰められ壊れかけている。
僕は沖縄へいらっしゃいと言いたい。
島のやさしい風に吹かれて心を解放しなさいと。
人類の未来への扉は沖縄にあり！ とあえて大口叩いておきたいね。

（出典：『上原正三シナリオ選集』現代書館）

この言葉を、他のどこの県民でもない、沖縄の、琉球の民に優しく誘われてしまう現実を、自称愛国保守軍事主義者は、恥ずべきでしょうし、膝を揃えてこの言葉を受け止めるべきでしょう。

“我が国”は 70 年前、“サンゴ礁の、ハイサイの島国”を、弾除けの道具に使い、隷属させ、時間稼ぎのために見捨て、自分たちだけはのうのうと生き残りました。

今回、サンゴ礁のバイタリティに沖縄を例えた上原氏も、実は戦争を体験しております。

戦時中に疎開先の台湾から帰港途中、後に「鉄の暴風雨」と呼ばれた、史上最大規模のアメリカ艦隊による大空襲に見舞われたのです。

もし台風がなかったら確実にやられていました。台風が去った後、また出港したんですが行き場がない。

> 船長に「どこ行くんですか」って聞いても、わからないわけですよ。東シナ海の海は荒いし、潜水艦に追われているのでいつも蛇行している。家族全員、寝る時はお互いの手を縛っていました。海に沈んでもバラバラにならないようにってね。（上原氏・談）

沖縄は、先の大戦により日本によって捨石にされ、唯一の本土戦の戦場として時間稼ぎに使われ、戦後もまた、プライドも誇りももたない日本が、数々の罪を逃れようと、自分たちだけはぬくぬく生き延びるために、戦勝国に差し出す貢物として好き勝手に扱われ、また、アメリカの対アジア構想などの都合もあったため、日本はあれだけの愚行と身勝手な殺戮を行ないながら、さしたる罪のお咎めもないまま、甘やかされて戦後を過ごせたという現実があります。

そこで、家族と体を縛りあいながら戦場の闇の海を駆け抜け、生き延びた作家氏をしても、それでもまだ、そんな目に遭わせた国家に対して「僕は沖縄へいらっしゃいと言いたい」と、こうおっしゃるわけです。

今からちょうど40年前に、その裏事情を誰も知ろうとせずに、ハイテンションの陽気な歌として歌われた「ハイサイおじさん」のように、琉球の血を引く人たちは皆、地獄を見、背負いながらもまた、愛嬌と優しさを、この国に向けてくれているのです。

その人たちに、大和の国に侵略され、虐殺され、滅ぼされ、戦争で利用され、それでも笑顔を向けてくれる島の人たちに、私たちが出来ることはなんでしょうか。

アベノミクスでしょうか。

憲法を改正することでしょうか。

筆者の母は、自分の親や祖父などと共に、自分が戦争を経験したことをふまえて、最期まで「またあんたの人生のうちに戦争がくるよ」と言い残し、この世を 10 年以上前に去りました。

上原正三氏は、戦後の沖縄に生まれ、自国を蹂躙し利用した国・日本に移り住み、そこで子どもたちを相手に、「子ども向けドラマの脚本」という形で、無数の手紙を書き続け、2020 年に逝去されました。

その沖縄は、2020 年現在、嘉手納、普天間、キャンプハンセンを中心に、日本の米軍基地面積の 75％が集中し、県度面積に占める割合も 11％に達しています。

そしてまた、沖縄周辺においては 29 カ所の水域と 20 カ所の空域が、米軍の管理下におかれ利用が制限されています。

戦争は、もう本当に終わったのでしょうか。

二度と来ないのでありましょうか。

それとも、亡母の言うように、人はその人生の中で、必ず一回は戦争とめぐり合う運命なのでしょうか。

それとも私たちは、もう各々の人生の中における戦争と、出会っているのでしょうか。

もう始まってる戦前二・二六事件前夜

2016/08/09

私を古くから知っている人であれば、今さらでしょうが、私は今から 20 年以上前、90 年代中頃から「我々日本人は『まだ戦後を生きている』のではなく『もう戦前を生きている』のかもしれない」と、主張し続けてきました。

イラン、イラク、カンボジアをはじめとした地帯における内戦や戦争、そしてそこへの米国隷属的立ち位置や、経済破綻による国家財政の危機化と、それに伴う「ゴーマニズム宣言」等の幼稚な右傾化思想の跋扈による愛国ブーム。

かつては私と共に、80年代の新宿ロフトや渋谷屋根裏といったライブハウスで「God Save the Queen」を、中指を立てて歌っていたPUNK仲間などが、しみじみと「やっぱり、これからの時代は大和魂だよ」とか妄言を吐くのを見るにつれ、ますますその思いは強くなっていったのですが。

文化面で、そういった側面を素早く危機感を抱いた人も少なくありませんでした。オタク・アニメ畑でいえば、その危機感編への反応が一速かったのが押井守監督の「機動警察パトレイバー2 the movie」(1993年)などでしょう。

「平和ボケ」という言葉が単純に、国際意識の欠落の置き換えとしてカルト化し、やがては日本の汚い歴史現実をも覆い隠して上書きしようとする運動にまで、動き始めたのは2000年代に入るころになってからでした。

今、現状の日本が「戦後」なのか「戦前」なのか。議論は別れるとは思いますが、「そのどちらでもなく、日本は今初めて、独立国家への道を歩んでいる」などという意見は、今は耳を貸している余裕がないので、とりあえずここでは割愛することになります。

先日の、今上天皇陛下が全国民に向けた録画放送（「象徴としてのお務めについての天皇陛下のおことば」2016.08.08)。茶化し好きのweb等では、早くも「玉音放送」などとはやし立てられていますが、これはあながち冗談でもなく、的を射ている状態でもあると同時に、しかしその放送の実情は、実はもっと、遡った非常に危険な過去との近似値に、あるのではないかと、私などは思っております。

今回の、天皇陛下の強硬策ともいえるお言葉放送は、国民的には誰がみても、生前退位を願う今上天皇と、それをされては憲法改正のタイムスケジュールが狂ってしまう安倍政権との、対立と歪み、軋轢が生んだ緊急事態であるという点では、左右共に相違はないと思われます。

今上天皇が生前退位をするとなれば、元号が変わる、天皇が変わるなどという単純な問題だけではなく、政権が描いているタイムスケジュールすべてに変化が余儀なくされるのです。

永田町の、主に自民党政権のタイムスケジュールは、日本共産党を除く各野党との談合の中、半年先以上までの予算委員会での「対決のシナリオとシーン演出」が、極めて高度なバランス感覚で描かれています。

かつて私が、一時期だけジャーナリストの偉い人のカバン持ちをしていた時代、その記者さんから「自民党がたまにやる“強行採決”は、実はアレがトラブルや喧嘩に見えるのは、国民や下層議員にしか見えてないだけで、実際は自民党の大御所と、野党の幹事長や党首クラスとの水面下交渉で全部が決まっている演劇で、そこでは与野党の党利党略、各方面全てにメリットを生まなければいけないバランス感覚が必要とされていて、初めて成せる業であり、永田町では『強行採決は最高の政治芸術だ』という伝説がある」と、教わった覚えがあります。

仮に、強行採決でさえ、そこまで入念な水面下での根回しや、予めの談合や共謀などが練られているのだとすれば、憲法改正ともなれば、分単位のシナリオとコンテが、１年先、２年先、次の衆院選挙前後までをにらんで、すでに練り込まれていることが当たり前であるわけで、今回の天皇による、ある種の強行採決のような「生前退位宣言」は、まさに本当の意味で「強行」した、安倍政権、永田町にとっては「まさか」の「起きるとは思っていなかったアクシデント」なわけです。

これをして、陛下のお言葉通りに「高齢からくる、健康面での不安」だと納得してしまうのは、歴代陛下に対して、今上天皇は軟弱だ、覚悟が足りんという話にもなりますので、私のような「反・天皇『制』主義者」からしてみても、ここでは天皇陛下と宮内庁が、安倍政権や永田町に対して「憲法を護るためのテロ」を行なってくださったのだと、そこは容易に感じることができるのです。

宮内庁と永田町が対立することは、昭和では長らくありませんでしたが、平成になってからは、東日本大震災や自衛隊海外派遣、改憲問題等について、天皇陛下のお言葉の端々から、永田町の論理や政治の在り方を問う発言や言動を問う細やかさが発信されていて、ここでの天皇陛下・宮内庁と永田町の軋轢は、昨日、今日に始まったことではないことがうかがえます。

国民の象徴として、政治的な発言を禁止された立場にいる天皇が、あえて政治的な発言を放たなければいけないという構図は、これはメタ的には、天皇陛下自らが、この、今の保守右傾化し過ぎた国民感情に対して「本当の、戦後民主主義の国民が、あるべき民意」を、自らが示したと捉えることが自然だと思われます。

何が政治的発言で、何が政治的ではないのか。人と社会が地続きで、人の生活すべてが政治で成り立っているという前提論で考えるとき、天皇陛下に政治性のある発言のすべてを封印せよという永田町の意向は、天皇陛下の人権そのものを侵害する（もっとも、永田町全体が、弱者にも権利と自由を与えようとする日本国憲法を害悪とみなしているので、ある意味自然と言わざるを得ないのも道理ですが）スタンスであるともいえるわけです。

現状の日本国政府の立ち位置、モチベーションは、すでに保守思想ですらないと私などは思います。

これまでに、ここで何度も書いてきましたように、日本はアメリカに隷属し、そのおこぼれで高度経済成長期もバブル景気も施してもらえて発展してきた国家です。

その国家を率いる自民党が、なりふり構わずアメリカ賛美主義を前面に押し出し、米国追従の政策と軍備を優先する前提で、戦後 70 年の日本の誇りであった憲法を改正し、自民党の政策であれば、何でも肯定のウヨク脳の、思考停止の似非国粋主義の民意とやらを得たつもりになって、浅ましく「目先の小銭」を追いかける、国利国益という名で売国を行なっているのが現状だと、私は常日頃から思っています。

私がウヨク脳と呼ぶ、自民党政策崇拝主義者の多くは、自分たちに反対する意見を唱えた者に対して「反日」「売国奴」などと揶揄しますが、伝統ある大事な国家の、一度失われれば戻れなくなる文化や生活を壊し、目先の銭のために日本という国をアメリカの目論見どおりに、アメリカナイズしていく。これはどちらが「反日」で、どちらが「売国奴」なのでしょうか。

今回の天皇陛下の言葉は、そういった薄っぺらい国利国益や目先の銭よりも、国民、伝統、文化、そして日本という国家全体を、あるべき姿に戻すべく、立ち上がった姿ともみれるわけで、これは自称左翼の私からみても、アッパレであり、尊敬に値する決断でもあったわけです。

と、同時に、左翼主義者でもある私などは、怖い歴史の再現への既視感にも駆られてしまいます。

経済と国利国益だけを浅ましくたかろうとする政府首脳と、それに警鐘を鳴らす天皇サイドという図式は、あの忌まわしいクーデターである、二・二六事件のベース設定と同じであります。

確かに、完全に軍部というものがシビリアンコントロールを離れて暴走していた二・二六事件当時と、防衛相の統治下にある現状では、事の流れはまったく異なるのでしょうが、逆をいえば、二・二六事件が起きてもなお、そのまま愚かな戦争へとまっしぐらに突き進んだあの時代と比べたときに、現代の日本の状況のほうが、より悪化しているのではないかという前提が成り立つというのもあるわけです。

私は、小林よしのり一派の妄言には興味はないので、日本会議云々という与太話には興味はありませんが、二・二六事件は、昭和天皇を中心とした、昭和維新を起こそうとした軍部の独走クーデターであったわけです。これは、軍人かどうかという踏み絵ではなく、時の営利目的の政府に与するか、勤王主義で、崇高な天皇の元で崇拝国家を選ぶのかという、誠にもってはた迷惑な二択を国民に迫ったクーデターなのですが、今回の宮内庁と天皇の言説の、扱い方ひとつ、対応一つをおろそかにすると、“今度”は民間から斉藤実（二・二六事件の実質リーダー格の将校）が生まれてこないとも限りません。

当時の陸軍大臣は「君たちの気持ちはわかる、天皇陛下にもその趣旨は伝わりつつある」という主旨のアナウンスを、クーデター軍人たちに送って、なんとかとりなそうとしたようですが、さて、今回は、すでに宮内庁も政府も動き出しておりますが、そこには明確な温度差があります。

安倍政権サイドは、天皇陛下の言葉と意向を、あくまで「高齢からくるお疲れであるので、公務を減らす方向で」などと、事なかれ主義で解釈し、ことを穏便に、できれば自分たちの改憲スケジュールに対する影響を最小限にとどめて、企み事を進めようとしていますが、それに対して宮内庁は、自民党•永田町•安倍政権に、陛下自身の言葉や真意を、キュレーションされないように、宮内庁の公式サイトで、全文のテキストと、VTR 全尺の公開を決め、踏み切りました。

この構図は、すでに情報戦のレベルで二・二六事件が始まっているといっても、過言ではないのです。

この記事の前半でも書きましたが、巷ではこの天皇の VTR 公開を「玉音放送」と冗談で揶揄る言い方が流行りましたが、それは「戦後の宣言」であったはずです。

今回の天皇の発言はむしろ、二・二六事件をおさめた昭和天皇の「反乱軍発言」より、さらに遡った、現代における皇室と天皇と宮内庁のSOS 宣言と受け止めるのが、自然ではないでしょうか。

実際の昭和の歴史では、この二・二六事件の後、反乱を起こした軍部は、鎮圧されるどころか暴走し、そしてそのまま太平洋戦争へと突入していったという、動かせない流れが歴史にはありましたが、今現在の状況の中で、今上天皇による制止を振り切らんとする、安倍政権・永田町の行く先もまた、戦争ではないかと、私は思うのです。

ここまでは、私が 2016 年当時、思うがままに筆を執って書き記した文章ですが、皆さんご存じのように、時代は平成から令和へと代わり、しかし数多くの問題を残したまま、2020 年。オリンピックこそ延期になったとはいえ、その原因となったコロナ騒動がピークへと向かっています。

退位された後を受け継いだ今上天皇の胸中や如何に。

皆さんが本書を手にするとき、時代は如何に変わっているでしょうか。

さよならニッポン　2016/07/19

さて、野党の共闘の足並みの揃わなさが水を差した雰囲気の都知事選ですが、これを書いている2016年7月19日では、無所属扱いの小池百合子候補が、事前アンケートではトップの支持率を誇っているそうであります。

小池候補は、自陣の応援支持者に対して「帽子、腕章、スカート、なんでもいいので、グリーンの色で応援に参加してほしい」と呼びかけ、熱心な支持者がそのとおりに、緑色のさまざまなグッズを身につけ、小池候補の応援演説にかけるけるという流れが、18日のANN系ニュースなどでも流れましたが、主にその運動を支援しているのは、「しきしま会」と呼ばれる団体であることは、知っている人も少なくない事実であります。

しきしま会なる団体が、どのような思想と目的で活動し、どのような価値観を持った団体であるのかは、記事カテゴリのジャンル分けが「非国民運動」「在日外国人」「韓国」「支那中国」「北朝鮮」「世界情勢」「マスゴミ」といった選択、ボキャブラリーからも、おおまかにはご理解いただけると思います。

表層的には、しきしま会は在特会（在日特権を許さない市民の会）を敵視しておりますが、これはなんらかのロールプレイ、パフォーマンス、ポジション、もしくは近親憎悪と受け止めることも可能でありまして、なかなかに保守思想の市民運動というのも、複雑怪奇なセクト問題があるのだと、半ばあきれ気味に受け取らざるを得ません。それでも、小池候補のグリーン活動に、このしきしま会が率先して参加していることは、他のどことも知れぬソースではなく、まごうことなき、しきしま会サイトの報告でうかがい知ることができます。

この記事の中で、しきしま会の記事担当者が、緑の帽子を被り、小池候補の演説の応援に出かけたところ、テレビの報道番組で映されたことにはしゃいで写真をアップしながら「テレビに一瞬映りました」などと報告していることは、大変微笑ましいのですが、では、その同じ記事のすぐ上の文章で、この記事担当者が、隣国の韓国に関して、どのようなことを書いているかを、少し見てみましょう。

> 韓国経済縮小　ヘル朝鮮化　韓国の最低賃金が637円から594円に決定　なお　法律など無意味な模様　賃金滞納を経験　65%　支払い0の経験　17%　最低賃金以下の支払いに甘んじている者　15%　そうでなくても障害者は塩田や農村で奴隷として人身売買の対象　女は整形代で借金させ　売春婦に教育し外国に輸出

ソース元などを明記せず、殴り書きのようにこう記載してあります（ページは書籍化の2020年現在では削除済み）。

私には、この数値の正確性を検証する余裕がありませんので、仮にこの、しきしま会記者の記事の、ここの数値やデータが正しかったとしましょう。

私は思います。

「では、だとして。隣国、中国や韓国が国家政策に破綻をきたして、国家危機になっていたとして、日本の保守派はなぜ、ことさらそのことを、大声でアナウンスしなければいけないのか」

もっと直接的に言えば「彼らはどの思想に対して、マウンティングしたいのか」という部分で、素朴に首をひねってしまうのです。

純粋に、恨み重なる敵国認定の隣国へのネガキャンでしょうか。

それとも、貧窮に困した隣国の、日本への侵略、復讐を恐れてのことでしょうか。

仮に保守運動家・過激論客の、近隣周辺国家へのヘイト、レイシズムの根幹が、それぞれの国力の弱体化に端を発する、日本への侵略行為への警鐘であったとしましょう。

その一方で、今現在、日本政府が未来の選択肢の一つとして掲げたことで、物議を醸しだしている「移民政策」、これへの危惧感がトリガーになっていたとします。

自分たちの愛する国家が、外国からの移民の急増によって、文化や伝統だけでなく、政治主導や治安まで乱されてしまう。確かに、ここに危機感を持つというのも、一つの危機管理としては理解できます。

しかし、逆を今一度、考えてみましょう。

「移民を受け入れればいろいろ解決する」という希望論を前提にする移民賛成派も、「移民など受け入れたら、大量に押し寄せてくる移民によって、愛する国家が蹂躙されてしまう」と危惧する反対派も、どちらもなぜか、そもそも日本に外国人が、喜んで大挙して移民してくる前提で話しているように見受けられますけれど、「その互いの陣営論争」は、少しお互い、どちらも楽観的過ぎるのではないかと、私などは思うものです。

確かに、まだまだバブル景気が華やかりし頃、日本にはさまざまな国からの出稼ぎ外国人が溢れ、その中には不法就労者等も紛れ込んでいました。中国、韓国のみならず、フィリピンやイランなどからも、貧しい人々が押し寄せ、ジャパンマネーを必死に稼ぎ、母国へ送っていた時期があります。

しかし、それもこれも、日本がバブル景気で、経済大国であったという事実が前提の時代での話です。

ぶっちゃけて言ってしまえば、国際社会の中での日本の位置づけは、あの頃と今では大きく違います。

自国民でさえ、派遣社員とバイト、正社員との格差問題や、ブラック企業問題を抱えている昨今、どれだけ円高を誇ろうと、日本の国力全体が右肩下がりにあるという現実は、これは国際社会でも隠しようがない状況だったりします。

先に移民政策を導入した諸外国では、タイ、カナダ、オーストラリアなどが、移民先として人気があり、移民政策も成功しているようではありますが、移民政策というのは、移民を受け入れる側がすべてをコントロールできるものでもなく、それは人と人のお見合いのように、移民する側にもそれなりの、利とメリットがなければ成り立ちません。なにせ「生まれた国とは違う国に、移民する」のですから。

それは企業の就職活動にも似ています。

条件が良く、得られるメリットも高ければ、我こそはと移民候補が名乗りを上げるでしょう。その国へ移民するだけで、生活レベルが上がり、ともすれば教育レベルや文化レベルも上がるというのであれば、困窮している人や、志の高い人であれば、移民を決意する人も少なくないでしょうから、それら候補者の中から、日本政府はそれなりの線引きで、優秀な人材を迎え入れればいいわけです。

有能な人材が移民してくるのであれば、その人たちがイニシアティブやオピニオン能力を発揮することは、社会の自然であります。

しかし、現在、今の日本は果たしてどうでしょうか。

世界中から有能な人材が、移民権を欲しがるような国の状況が整っているでしょうか。

そもそも、国力というのは、これも難しい定義や問題が交錯する概念ではありますが、シンプルに言い切ってしまえばマンパワー、労働人口に依存する部分が非常に大きいです。

近年の中国バブルなども、中国の国民の多さに、技術力や中国共産党政府の国策など、さまざまな要因が重なり合って起きた現象であったわけですが、それもこれも、中国という国家があれだけの労働人口を、そもそも抱えていたからこそ起きた現象でもあります。

それと比較した場合、少子化が進んでいる日本は、これはどうがんばったところで、その一年に生まれた出生人口は、何かの事故や病気で減ることはあっても、10年後の10歳が増えることだけは絶対に起きないのが当然でありますから、やはり移民を受け入れる側、反対する側、最低限「30年後の日本国家は、自国民だけでは、そのときの日本の国家、経済、福祉、政策を、賄えるだけの労働人口はない」という前提で、話をするべきだと私は思うのです。

日本の少子化は、80年代後半より盛んに危機が叫ばれるようになり、1992年度の国民生活白書で少子化という言葉が初めて用いられた流れを持ちますが、そもそも論で言ってしまえば、まだ厚労省が厚生省だった1971年、第2次ベビーブーム始まりの年、団塊Jrが生まれ始めた年には、既に半世紀先の少子化問題が、提唱されていたという記録もあります。

さて、こうなると、こうなることがわかっていて、何も手を打とうとしなかった日本政府の半世紀という責任問題も当然追及されるべきでしょうが、わかっていて手を打たなかった以上、それまでは可能性の範疇で終わっていた危機仮定が、現実の、対処不可能な危機として完結してしまったことになります。

国民が溢れ、経済が豊かで、国力があり、経済価値が高い国。

誰だって、生まれた国を捨てるのであれば、せめてその程度の条件は持ちたいと思うはずです。
ですが、はたして今の日本という国は、そのレベルに達する「移民するに値する国」としての価値を、持っているでしょうか。

経済情勢の悪化、労働環境の不平等化は、韓国と日本は、どちらもどちらのレベルにあります。そうなると、東アジアで移民受け入れ政策を実施する国家の中で、現状最善の選択は、台湾というあたりに落ち着きそうです。

これ以上の外国人労働者や移民を、受け入れることに賛成する側、反対する側、どちらも相応の言い分や理があるのだろうとは思います。しかし、現実はそもそも、今の日本に移民したいと思うほどの、魅力がないという現実も、ふまえるべきだと思います。
これは、戦争侵略論に関しても、同じことがいえます。
移民以上に、侵略戦争を仕掛けるには、仕掛ける側の国庫や国民の負担は大きいわけです。
そこまで、自国の基盤に負担を強いながら、侵略して破壊し、統治するほどのメリットが、今の日本にあるとは、私には思えません。せいぜい、対米牽制としての囮のグラウンドゼロとしての価値ぐらいしかないのでしょうし、日米首脳も、それを察知しての憲法改正なのでしょうが、それもやはり「遅すぎる対処療法」であって、なんら根幹解決には至らないと思いますし、やはりそこまでして、テロレベルを超える、侵略戦争を仕掛ける価値が、今のこの日本という国にはないと、私などは思います。

今の日本。この、傾く角度が徐々に大きくなっていく、「東へ沈むゆく日の本」ともいえる今の日本で、まず優先させるべき議論は、移民を受け入れるか拒否するのかの極論同士のマウンティングではなく、受け入れるにせよ、拒否するにせよ、世界の他国人から見たときに、受け入れてもらえるのであれば、ぜひ移民したいと、そう思ってもらえる国づくり。それは、経済的にも生活レベル的にも、格差レベル的にも、総合的な国力において、まずはそれを高める。緊急に、かつ無理やストレスを最大限軽減しながら、バブルのような根拠のない形ではなく、地に足の着いた「誰もが憧れる国・日本」を、創り上げてからでも、遅くはないのではないかと思います。

そうは言いつつも、すでに少子化の対策放置が長すぎて、これを一気に出生率 2.0 へ戻せという話が出ても、なかなかに実現不可能な問題だと思いますし、仮に数年で出生率が、劇的に 2.0 を超える状況ができあがったとしても、国力・労働人口がしっかり国を支えるところまで復旧するには、軽く 30 年はかかるわけです。

移民受け入れ政策は是か非か。

その議論を内輪でしている時点で、すでに世界は「さよならニッポン」になっているのかもしれません。

迷走する国民年金のこれから

2016/07/20

田村憲久厚生労働相は 2016 年 5 月 11 日、NHK の番組で、高齢者の働き方が多様化していることをふまえ、現在、個人の選択で公的年金の支給開始年齢を 70 歳まで引き上げられる制度について、75 歳程度まで広げられないか検討する考えを示しました。

田村厚生労働大臣は「自分がいつまで働けるか、状況をみながら支給開始年齢を選ぶことは、自分の意思でできる。今も70歳までは選択できるが、これを例えば75歳まで選択制で広げる提案が与党から出されていて、一つの提案だと認識している」と述べ、高齢者の働き方が多様化していることをふまえ、公的年金の支給開始年齢の範囲を75歳程度まで広げられないか検討する考えを示しました。
(「選択制で75歳程度まで」年金支給開始繰り下げ検討　NHKニュースより 2014.5.11 12:13)

さて、そろそろ皆さんの中にも「年金は破綻するだろう」と考えるかどうか以前に、「自分が年金を受給できる年齢まで、生きているのだろうか？」「自分が支払った年金は、相応の見返りとして戻ってくるのだろうか？」と、考えている人も少なくないのではないかと思います。

そもそも、国民年金とはなんなのか。医療や福祉においては先進国たる日本が世界に誇る、老齢者福祉システムなのかというと、いろいろ調べてみると、実は案外、違ったりするのが事実です。
Webなどで調べますと、国民年金とは「日本国憲法第25条第2項(「国は、すべての生活部面について、社会福祉、社会保障及び公衆衛生の向上及び増進に努めなければならない」) に規定する理念に基づき、すべての国民を対象に、老齢、障害又は死亡による所得の喪失・減少により国民生活の安定が損なわれることを国民の共同連帯により防止し、もって健全な国民生活の維持及び向上に寄与することを目的とする（第1条)」が主旨とされていますが、実情は少し違うようであります。

時は1959年。すでにその3年前の経済白書で「もはや戦後ではない」とうたわれた日本経済事情ですが、度重なる朝鮮戦争やベトナム戦争など、アメリカの戦争に対する軍需後方支援基盤としての国家経済が、まだまだアメリカの要求に達していなかった時代に、政府は「国民年金制度」を政策として実行したわけです。

表向きは、統一が取れていなかった企業単位、産業単位の組合運動や、福利厚生システムの統合一括化ではありますが、実情を言ってしまえば、国家が国民に対してする借金であり、それは悪い言い方をすれば「国が国民に対して、強制的に施行する“ねずみ講”」だったわけです。

そこには、機運高まる60年安保闘争をふまえた、労働組合運動の勢力を削ぐという目的もあったのかもしれませんが、皆さんそろそろお気づきのように、国民年金というのは若い人たちが何十年も積み立てていくお金を、老齢者や障がい者への福祉へ回すというシステムですから、その大前提として、年金を受け取る受給者よりも、年金を支払う労働人口の方が、常に多くなくては、これはねずみ講の原理原則からいって立ち行かなくなります。そもそも論で言えば「日本の人口が、永遠に増えていくという前提があってこそ成立するシステム」なのです。

それは前回の「さよならニッポン」でも述べたような、少子化右肩下がりの現状では、破綻以外の未来がまったく見えない状況です。

「戦後。特殊な状況下を乗り切るための、緊急措置法として制定された法律やシステムが、消滅することも解散させられることもなく、その法律が必要なくなった現代においても、幅を利かせて闊歩している」という意味では、戦後焼け野原の社会で、せめて米がなくとも日本酒を飲みたいと、平和を喜び平穏な日常に戻った国民を、一時的に「白米の原料消費を最大限抑え、紛いものばかりであっても、日本酒と名乗って流通させてもいい」と、よい意味での太っ腹を政府がみせた、三倍増醸清酒の放置容認などもそうでしょう。

今では酒税法の改定によって、さすがに三倍まではいかないものの、それでも「安くつくれて売れるから」という理由で、三倍増醸清酒に近い代物が、日本酒として流通し続けていることも事実です。

それと同じことが、国民年金制度にもいえて、戦後 70 年が経過した今でも、緊急措置制度であったはずの国民年金制度が、少子化の一途をたどる現在でも、まかり通っているのが今の日本政府の政策の現状です。
では、私たちが毎月収めている国民年金は、どのように運用され、どのようなロジックの元に、私たち国民に返金されてくるのでしょうか。
厚生年金と国民年金の積立金を運用する GPIF（年金積立金管理運用独立行政法人）は、120 兆円の資産を運用する世界最大級の機関投資家に値しますが、GPIF は国民から集めた積立金の運用益を年金財政に活用しようとしています。

この運用は、試験運用当初の 2012 年こそ、約 11 兆 2000 億円の利益を出しましたが、毎年かさみ続ける年金支払額を考えると、そもそも喜べるレベルではありません。
しかも、ここでの「国民から集めた積立金の運用」というのが、何を指すのかといえば、GPIF の基本ポートフォリオによれば「国内債券」「国内株式」「外国債券」「外国株式」「短期資産」となっておりますが、物言いだけは手堅く聞こえるかもしれませんが、株式取引といえば、正直「博打」でしかないというのも自明の理です。
国民が、老後の安心を委ねて義務を負って支払っている国民年金を、国家はハイリスクハイリターンの、ギャンブルに使うと、公言してはばからないわけです。
ギャンブルは、どこまでいってもしょせんはギャンブルです。パチンコ、競馬、競輪、麻雀。勝ってうれしい思いをする人を生む一方で、負けて生活苦に陥る人を生み出すのもギャンブルの必然です。
日本国家が、どれだけ優秀な株式読み取りブレーンを集めて最良の売買の手を築いたとしても、それで100%勝てるギャンブルであるのなら、世界の株式相場は死に絶えているはずです。繰り返しますが、どんなプロでも利口者でも、負ける前提があってこそ、ギャンブルはギャンブルたり得るわけですから。

2014年11月4日に行なわれた参議院予算委員会の答弁で安倍晋三首相は野党議員の「株を持っているのは国民の何%か？」という質問に対して「株を持っている人は投資信託の形などでやっている人がいる。事実、年金も正に株で運用されているわけでございます」と答え、その事実を公で認めました。

現状の日本政府、安倍政権は、国民の老後を支えるべき年金を、国家的規模で、株式投資というギャンブルにつぎ込み、増えればめっけもの、程度の考え方で貴重な積立金を注ぎ込んでいます。

事実、上記した2012年以降、2015年には積立金の株式運用は、12%から25%へと倍増しました。

その結果、博打に負けたのか勝ったのか。

今回の田村厚生労働相による「年金支給開始75歳論」が飛び出したわけです。

確かに高齢化社会と、それを支える労働人口の縮小は大きな問題です。

増え続ける福祉予算を、どう少子化の範囲で賄うか、それも大きな問題でしょう。

しかし一方で、アベノミクスの成果でもあります、大企業の企業内部留保金は、2015年度には前年比37兆円増しの、300兆円を記録しました。この、企業内部留保金の5%に税金をかけるだけで、GPIFの「ギャンブルの種銭」を半分に減らすことができるのです。

個人でなら自己責任で済みますが、妻や子ども、一家を支える大黒柱が、家族の未来を支えるとうたって、家族の今現在の生活費を吸い上げて、パチンコや競馬に勤しんでる姿は、一家の長として、なんとも恥ずべき思いをさせられるでしょう。

そのギャンブルの結果が「年金受給開始75歳説」なのです。

2014年の日本人の平均寿命は、女性86.83歳、男性80.50歳と報告されました。

仮に平均寿命まで生きるとして、75歳受給開始では、女性は10年、男性は5年しか受給できない計算になります。

現在、国民年金受給開始は、一応65歳からという体裁はとっておりますが、実際はそこのあえてメリット、デメリットを加算して、増額率的には、70歳からの受給を推奨するように、システムが完備されております。

女性が15年間、男性が10年間、受け取るだけで、40年間納めてきた分の、金銭的対価や福祉が受けられるのでしょうか。

なにもかもをも先送り。その上で、国民にすべてが還元されない年金システムは、すでにある種の税金であるともいえないでしょうか。

その上で、安倍政権寄りのメディア・フジテレビは、消費税の税率が10%に上がる事態を受けて、国民の支持が過半数を超えた51%に達したと、大本営発表をおこなっております。

「消費税率10%への引き上げ肯定派が過半数に　FNN世論調査」

日本国民は、どこまでお人よしなのでしょうか。

それとも、経済破綻へ向かう我が国を愛さんと、滅私奉公、持てる財力を捧げて、愛国忠心を表したいのでしょうか。

重ねて申し上げますが、今現在日本の大企業の企業内部留保金は300兆円を超えています。

一説には、それに課税することで、国内資本の大企業が、拠点を海外に移してしまうので、課税できないというもっともな意見も耳にしますが、実は拠点を海外に移さんとする企業は、すでにそれを始めておりますし、逆をいえばどこの国に逃げても、日本の国庫に入らないとしても、金を持っている企業に課税しない国など世界にありません。

福祉や年金への危惧感を抱き、政府の理性的な積立金運用と企業の内部留保を問いただそうとする姿勢と、企業論理、企業倫理で福祉や弱者救済を捨て去り、やれ国益だ、国防だと鼻息荒く、巨大資本企業の海外流出を、仕方ないで見逃す層。

さてさて、どちらが本当の愛国者でしょうか。

天皇制の令和

2016/07/13

これは平成天皇が生前退位を発表されたときに書いたものです。

われわれが、いえ、日本国政府が国民に守ってみせる「べき」日本国憲法では、天皇陛下はその第一条で「天皇は、日本国の象徴であり日本国民統合の象徴であつて、この地位は、主権の存する日本国民の総意に基く」と明記されております。しかし、ここ数年の流動的な右傾化、軍国主義化に対して、自民党与党が、憲法９条を改訂したいという欲は国民すべてが共有してきた手応えですが、憲法の存在自体に懐疑的であれば、それは天皇、および皇室の「象徴としての存在意義」そのものを、問いただす流れになることも、あながち不条理なこととばかりはいえません。

一昔前といえば、イデオロギーの左右は、左傾側は天皇制絶対反対、右傾派は天皇制絶対尊重、これが動かぬ前提であり、そのバランスの中で、共産主義に関するスタンスであったり、親米であるのか反米であるのか、そこが問われる、セクトやコロニー単位の問題でありましたが、近年になって、インターネットが普及する速度に応じて、その左右の思想のイデーの細分化が、一部の運動家よりも、もっと個人単位に広がり、それ自体は悪いことではないのですが、よく言えば個人自由主義、悪く言えば無秩序で無責任な無勝手流ロジックの基で、混沌化してきたという感触があります。

かつての左傾派文化人や、運動家の中では、天皇制こそが、日本の悪しき歴史と原罪の象徴であり、それを打ち倒すことが、この国を正す目標であるとしていた時代もありました。

その時代に築かれた考古学、民俗学的な学説の一つが「大和朝廷騎馬民族説」です。

大和朝廷騎馬民族説というのは、簡単に言えば「もともと、縄文時代までの日本には、数十以上の原住民族が、共存していた。しかし、そこへ、モンゴル、中国、朝鮮半島を渡って侵略してきた騎馬民族が、日本原住民族の殆どを滅ぼし、その上に『大和の国』と『天皇制』と、日本書紀、古事記といった『記紀』を打ち立てた。この国は始まりからして、侵略と歴史の上書きと、原罪から始まっているのだ」とする説です。

「良識ある」を、自身の冠にしたがる歴史学者やそのクラスタの界隈の皆さんの間では、失笑されてきた、いわゆる「トンデモ」と呼ばれる学説です。

それは、「反天皇制、反日思想の願望に過ぎない」と、嘲笑され続けてきました。

しかし、自称愛国者たちが誇らしげにその名を響かせる「大和民族」などという存在もまた、一歩日本の外へ出れば、世界の考古学者達から、嘲笑われるのも事実です。

「大和朝廷騎馬民族説は、トンデモなのか、現実なのか」

それは、皆さんもご存じの「邪馬台国はどこにあったのか」といった争点などと、複雑に絡み合いながら、「トンデモ」と「隠された真実」との間を、右往左往してきた半世紀がありました。

例えば、考古学と言語学を結ぶ学問に「比較言語学」というのがあります。世界中の言語の成り立ちや現状を比較して、歴史や民族の流れなどを解析する役にも立つ学問なのですが。

日本の言語学の世界では、半世紀以上もの間、日本の先住民族の生き残りの筆頭と呼ばれるアイヌの言語は、独立言語とされてきました。

理由は簡単です。そのほうが「日本の国家と歴史にとって、都合がいい」からです。

「正しい愛国歴史認識」に沿うならば、アイヌは自然発生した独立民族であり、決して「騎馬民族による侵略と虐殺から免れた、希少な先住民族」であってはならないのですから。

ところが、今を去ること四半世紀近く前、順天堂大学の比較言語学者、村山七郎教授が、自身の混合言語学論文で「アイヌ語は独立言語ではない。アイヌ語には、琉球語にはあって、日本語にはない、ポリネシアやメラネシア、タガログ等の南洋語との相似性が明確に証明できる。むしろ、アイヌ語がそれらと相似形を成したことで、東南アジア地域から北方領土地域までの、環太平洋地帯の言語では、実はスタンドアローンで異質なのは、アイヌと琉球を抜かした、日本語だけである」という証明がなされてしまったのです。

これはもちろん、「日本民族二重構造説」を証明してしまいますし、「大和朝廷騎馬民族説」の状況証拠になってしまいます。

やがて、そうした状況証拠や学術的証拠などが出てくるに及んで、右傾派愛国者達は、とうとうギャクギレしてしまいました。

一部の右派論客や、ネットのSNS等で愛国保守を声高に叫ぶ一部の人たちは、「アイヌなんてそもそもいなかったんだ」「今のアイヌを名乗る連中は、日本に寄生して利潤をかすめ取ろうとする悪だ」などという暴論から始まり、ついには「しょせん天皇なんて、朝鮮民族の末裔だ。朝鮮人の神様などいらない。むしろ、皇室は反日だ」と、ありえない言説まで叫ぶようになってしまったのです。

それはおそらく、アイヌ民族の存在や天皇制そのものが、日本独自発祥由来ではない現実証明証拠の積み重ねに対して、反論できない状況ができあがりつつある上で、原発問題や憲法改正問題に関して、平成天皇が、保守政策や愛国者の狂気に水を差すような発言を、ここ数年何度かされていて、そこへのギャクギレが生み出したのではないかという見方もできます。

そうであれば、それは子どもの理屈です。醜い自己弁護です。

三島由紀夫、川内康範、赤尾敏…昭和の愛国右傾派運動家や文化人は、アメリカという戦勝国の傀儡・飼い犬に成り下がった自国を憂い、立派な独立国家に戻るための旗印として、天皇を愛し、天皇制を崇拝してきましたが、その美学や、その理念すらも失われた「愛国という名の暴走」の帰結が、今回の平成天皇の生前退位に反映されているとしか思えません。

「Patriotism is the last shelter of the scoundrel」

18世紀の、イギリスの詩人・Samuel Johnsonは、こう名言を残しました。私がここで「多事争論」という冠でコラムを書いていることで、お察しの良い方はおわかりのように、私は日本随一のジャーナリスト・故・筑紫哲也氏を敬愛しておりましたが、筑紫氏はこのSamuel Johnsonの格言をして「愛国心は、悪党の最後の隠れ蓑だ」と訳しました。

愛国心とはなんでしょう。
「人間誰だって当たり前に、自分が生まれた故郷を愛するものだ」という恣意的誘導で、愛国心を肯定するのはまちがいです。そういう意味合いの郷土愛は本来「パトリオティズム（Patriotism）」という言葉で呼ばれ、思想や哲学の世界ではしっかり区別されてきました（愛国心という単語をwebで調べた時に出てくるWikipediaの解説は間違っています）。
では愛国心（Nationalism）とはなんでしょう。

「純粋なナショナリズムなんてものはないんです」

そう語っていらしたのは、「七人の刑事」（1963年）、「ウルトラマン」（1966年）、「コメットさん」（1967年）、「お荷物小荷物」（1970年）、「おくさまは18歳」（1970年）などで、日本テレビドラマ界のトップ人気脚本家として輝きながらも、一方で映画の世界では「ユンボギの日記」（1965年）、「日本春歌考」（1967年）、「夏の妹」（1972年）など、大島渚監督と主に組んで、松竹ヌーベルバーグという映画運動から、常に社会を討つ脚本を書き続けてきた、佐々木守氏でありました。

佐々木氏は、先述した「大和朝廷騎馬民族説」を題材にして、あえてそれらを悪役にして、国家公安のヒーローが颯爽と戦う子ども向けドラマ「アイアンキング」（1972年）の、全話の脚本を書いたのです。

「日本を侵略した大和朝廷天皇制によって、滅ぼされた原住民族」という構図は、後の佐々木守作品にとって、常に娯楽の背後に流れた裏テーマになっていきました。

そこで日本原住民族を敵として設定したことに関して、佐々木氏は後年こう答えました。

> 確かに逆なんだけど、テレビじゃ反体制の人間を主人公にはできないよ。そんな企画書いても通らないし。ただ「不知火一族」にしても「独立原野党」にしても、この日本に、国家体制に断固として逆らい続ける人たちがいっぱいいた方が面白いでしょう（笑）。
>
> 断固として国家と戦い続ける人々の姿を描きたかった。こうしたヒーロー物を書いている自分にだって、どこかにパレスチナゲリラに同調した足立正生君のような気持ちがあるんだよっていうところはありました。そういう人たちをドラマに出して、気分はわかるよ？と。自己満足かもしれないけれど、誰かがその気持ちを解ってくれるだろうってね。大和朝廷とか騎馬民族とか、番組を見ていた子ども達があとになって、歴史の授業のときに「あぁそういやそんなことがあったっけ」って、思い出してくれればって。（佐々木氏・談）

それは佐々木氏の中でやがて、浦島太郎伝説に描かれた、竜宮城という存在への憧憬と重なり、例えばお昼の時間のメロドラマとして製作された「三日月情話」（1976年・東海テレビ）でも、円谷映像のSF特撮映画「ウルトラQ・ザ・ムービー星の伝説」（1990年）でも、「日本の原住民が、最後に辿り着ける竜宮城という常世の国を、探し求める人の姿を追うドラマ」として描き続けられました。

佐々木氏の遺作となった子ども向け小説『竜宮城はどこですか』もまた、その心を、現代の子どもたちへ託す意味で書かれた作品でありました。

学説では否定される「大和朝廷騎馬民族説」。

もちろん、そのヒステリックな否定は、「そもそも日本に先住民族、原住民など他にはいなかった」という前提がないと、愛国者たちは自説を維持できません。

その「日本原住民」の定義を、佐々木氏は後年こう語っています。

> 今の日本のありように疑問を感じ、天皇制に支配される前の縄文人の精神を持とうとする個人。それが僕の中での「日本原住民」の定義なんです。（佐々木氏・談）

その上で、佐々木氏は、日本人が抱く原罪に関して、こう言及しました。

> 僕はやはり天皇制こそが、日本の諸悪の根源だと思います。あの8月15日。それまで「神国日本は負けない！　天皇陛下万歳！」などと言って威張り散らしていた大人たちが、突然オロオロし始めた8月15日。僕の目には大人たちは、皆日本を駄目にした犯人に見えたんです。（佐々木氏・談）

おかしな話です。

佐々木氏がこのコメントを発するより遥か昔に、ヤルタ・ポツダム体制と共に、日本の天皇制は崩壊しているはずです。

では、佐々木氏が定義する天皇制とはなんでしょう。

僕が天皇制、天皇制と言っているのは、別に今の日本に天皇に政治的支配権限があるとか、今皇居にいる皇室が憎いとかじゃなくてね。日本人というのは、自分たちはすごく「私は無宗教なんだ」ということを自慢するのだけれども、実はその時々、それは僕が「ウルトラマン」を書いていた頃であれば、科学が神だった。それが衰退すると、個性が神になったり、恋愛が神になったり、その上で、資本、金という最上級の神がいたり。常に日本は、そういう意味での一神教なんですよね。それを総じて、天皇制という言葉に置き換えているんです。（佐々木氏・談）

明快な回答です。

確かに私の周囲にも「私は無神論者で、無宗教なのよ」を、あたかも自慢のように言ってみせる人は少なくありませんが、実際は、その人の中にも何かしらの、一見するだけでは神に見えない神がいて、その人はそれにすがっている。そういう意味では我々日本人は、戦前や戦中と同じメンタリティを保持したまま、戦後を「天皇対象ではない天皇制」の中を過ごしてきたわけです。

そうであれば、今回の、保守政権、自称愛国者支持国家体制下における、今上天皇排他主義の流れも、生前退位への流れも、納得ができます。

佐々木守氏は戦前の石川県に生まれ。その土地で小学三年生の時に終戦を迎えたことに関してこう答えています。

子どもの時分に、軍国教育の名の下にある特定の価値観や、秩序を叩き込まれた経験が災いしているのか、絶対的な価値観を押しつけられるのが苦手なんです。だから組織とかシステムというものもどうも肌に合わない。一番身近な例を挙げれば家庭ですよ。家庭を維持するためには、家族は大なり小なり我慢しなくちゃならない。

もちろん、それがどうしても耐えられるわけじゃないけど、出来る事ならそういう、ある秩序の中に放り込まれたくない。という気持ちがあるんです。（佐々木氏・談）

さて、我が国は、憲法を否定し、天皇という国民の象徴まで否定して、どこへ向かっていくのでしょう。

私たちのルーツを封印し、その時々で都合よく、皇室や歴史を上げ下げし、守るべき「国益」というのは何でしょうか。

「国益」は大事です。国益＝お金です。

私たちは、一見「民主主義の社会にいるように」騙されていながら、拝金主義という天皇制の籠の中で、戦後の70年を生きてきたのではないでしょうか。

今回の「市川大河のweb多事争論」は、最後に、佐々木守氏が遺したこの一言で終わりたいと思います。

大江健三郎氏は、文化勲章を辞退するに当たって、確か「戦後民主主義者の自分には国家からの勲章は似合わない」といった意味の談話を発表された。

僕にはその「戦後民主主義者」という言葉が嬉しかった。

思えば十年前。

大和書房から出版して頂いたシナリオ集『ウルトラマン　怪獣聖書』の後書きで、僕は心の底に、あの石川県の片田舎の小学校で教えられた「戦後民主主義」が生き続けていると書いている。

僕にとっての戦後民主主義とは、教室から教壇が無くなったことであり、先生の位置がその教卓と共に、教室の一番後ろに移ったことであり､そしてグループ授業がはじまり､勉強はそれぞれのグループで自由に進めて、わからないところだけ先生に訊くという方法であり、それまで口をきくことも憚っていた男と女が、手を取り合って、フォークダンスを踊るということであった。
　あの「戦後民主主義」が五十年間着実に歩み続けていれば、イジメやそれによる自殺といった悲劇は、絶対に起こるはずがなかったと僕は思う。
「戦後民主主義」は、いつ、なぜ崩壊してしまったのであろうか。
　（出典：『ウルトラマン怪獣墓場』 佐々木守著 大和書房）

先進国・日本　　2016/07/05

　ここ数年の中国問題は深刻な影響をもって、今の日本を問うている部分があります。
　ひとつ、私が気になっていることがあるとすれば、戦後も 70 年を迎えたこの国は、少し先進国として不遜化しているのではないか、です。

　かつて日本は敗戦国でありました。
　しかし、その戦後はヤルタ・ポツダム体制下において、米国主導の民主主義政策と、先進国化が図られたのですが、これはつまり、その実態は、東西に分割されたドイツなどと同じで、あくまで「戦勝国の利益になるための隷属」のためのブラッシュアップだったわけです。
　この場合の「戦勝国」とは、もちろんアメリカに違いありません。
　日本は、戦後アメリカの東アジア圏への進出の、橋頭堡、空母となるべくして、高度化し、磨き上げられたのです。
　それは、かつての武士や侍が、己の武器を常に磨き上げていた精神にも通ずるでしょう。

現に、現代日本の根幹を支えた高度経済成長による先進国化は、時のアメリカ政策による、朝鮮戦争とベトナム戦争の特需景気がもたらしたものであり、決してそれは「敗戦から立ち上がった、気骨ある日本人たちのがんばりの賜物」ではなかったわけです。

また、私の世代などでは記憶にもまだ生々しい、あの正体不明のバブル景気も、もともとは、1985年のプラザ合意に添う形で、時の中曽根内閣が必死に計略した、ゼロ金利政策や公共事業拡大、法人税や所得税率の改定などがリミックスされ生まれた、偶発的な、景気の奇妙な現象だったことでしかありません。

社会学、経済学を紐解けば、そこには当然の前提論として、日本のような国土面積、平野率、人口密度、生産力で、現在の国家水準や、経済水準を維持することは、そもそも無理があるというのが常識です。

私たちはどうしても、自国の国益を基本的に考えてしまい、その前提として、現在の状況の「良いところは自分たちの努力の結実」「悪いところは他国のせい」と、二分して考えてしまう悪い癖がありますが、そこはもう少しグローバルに、冷静さをそろそろ持たないと、日本という国家のシステムや経済が、なり行かないところまで来ていることは、机上の論議ではなく、実感レベルで、私たちの世代などは感じざるを得ないのです。

誤解を恐れない言い方をしますと。

我々のこの国は、自浄努力と自立努力だけでは、そもそも現在の社会レベルを維持できなかった国であり、それは、今までは、アメリカのアジア進出計画やプラザ合意などの、いわゆる「アメリカの傘の下」を基本にすることで、役割論のようなところで、うまく立ち回ってその自国の経済を、上げたり下げたり、ダッチロールレベルではありながらも、コントロールしてきましたが、肝心のアメリカがリーマンショックを起こして、属国の面倒など見ていられない状況になってからは、あるのかないのか、市民レベルでは全く実感を伴わなかった「いざなみ景気」の第14循環期すらも、強制的に終わりを告げました。

「まだまだ戦後日本は子どものようなものである」とは、昭和期にさまざまなケースで使われた常套句でありましたが、子どもは親がいなければ生活もできず飢えてしまう生きものです。それがまだ、成熟して自立することさえできないのであれば、親が子どもを放り出した以上、せめて思春期でも迎えた状態であるのなら、他者や周囲との、コミュニケーションや協力により、自立への道を歩まなければなりません。

そう考えるとき、日本にとってというよりも、世界経済において現在、中国の存在と価値、重要性は、これは好き嫌いを抜きにして、認めざるを得ません。もちろん、外交とは常に対等であるべきではありますし、主観から遠のいた、客観的な倫理問題や判断の基準はあるかと思います。

しかし、そもそもの国力が現状を維持できず、頼みの綱のパトロンのアメリカも、自国内の経済対応に追われて、日本を事実上見捨てている現状で、いやな言い方ですが、私たちは「次のパトロン」を見つけて今を凌いで、それが屈辱的なのであれば、その間に目先の利潤に惑わされることなく、未来の「真の自立」を求めて、社会を動かしていかなければなりません。

日本の経済が、なにか「見たくない現実から目をそらして」しか、今現状、成立していないのは、国が抱えている借金の問題や年金の破綻問題、虚構の「戦後ベスト3」だった「いざなみ景気」の余波など、さまざまな方面で、自覚させられます。

民主党政権時代は2010年度補正予算案に盛り込む緊急経済対策の提言をまとめたことがありましたが、その内容は、実質上のゼロ金利政策の再開や国内投資促進策など、まるで、バブルのきっかけとなった、1985年以降の中曽根政策をなぞるかのようでありました。

その結果はもちろん、あの、虚構の「狂騒的景気状態」を呼び起こすことはできませんでしたが、一方、現行の自民党政府は自民党政府で、日銀介入による強引な円高のアリバイづくりと、年金に手をつけた運用の失敗と、こちらもこちらで、「失われた20年」で、失敗してきた政策ばかりで、お茶を濁すしかないのが現状です。

消費税据えおきとて「今この目の前にある選挙に不利だから」据えおいているだけであって、遅かれ早かれ増税は実施され、しかもその財源はアナウンスどおりの福祉や弱者救済には使われないことは、国民の誰もがわかっております。

もうひとついえることは、中国・外交問題における「ネットのノイジーマイノリティ民意」も含み、自民党上層部の対経済政策も、極めて短絡的かつ場当たり的、そして感情的な、虚構幻想主義から、脱出も卒業もできていないという現実論であります。

自民党日本政府が、国民レベルが、戦後から近年までの国家レベルを「日本国民の、独立した努力の結実」としてしか認知せず、だからとばかりに、意固地になって「過去に実ったやり方」に再依存し続けたり、やおら、不遜なまでに近隣諸国に対して、対等攻撃的な感情を向けたりし続けては、これは「子どもの国」の成熟は、未来永劫成し遂げられないのだろうと、私は思うのであります。

過去を誠実に振り返り、そこでの成長や拡がりが、何を礎にしていたのかへの検証と、そこでパトロンを失う現実に対しての認識。

パトロンが突然手のひらを返して去ってしまえば、もちろん、そこで自立できるのであれば自立すればいいだけの話ですが、その手はずも、準備も、心の用意すらないまま見捨てられてしまえば、当面の対処法として「次のパトロン」を探すしか、現実的な手立ては残っていません。

わが日本にとって「パトロンがいなくなったときに自立する方法」は、そのパトロンである戦勝国・アメリカが、自国の国益のために、意図的に日本には教育してこなかったのですから、今の日本に、完全な自立を即効性で求めるのは、ないものねだりでしかないでしょう。

しかし、現状の日本の政府、国民は、まるで自分たちが、自立できている先進国であるかのような自意識で、他国や近隣諸国と向き合おうとしています。

無謀で残虐な戦争を自分から仕掛けておいて、当然のように敗戦しておきながら、アメリカの国策の庇護も下、戦後という歴史をぬくぬくと成長させられた日本を、日本の戦争で迷惑を蒙った国々に対して、よく思えというのは、これはやはり無理があります。

もちろん、戦争という所業は、そこまでシンプルなシステムで起きるものではないですから、日本がただの悪でしかなかったという決めつけをする気は毛頭ありませんが、70年前に起きてしまった出来事への、国際的な総合的印象論を、瑣末なディテールへの関与や感情論で、ひっくり返そうというのは、これではまるで『北風と太陽』の北風そのままであります。

すべてを譲れ、ではないにしても、一歩も譲らるべきではないという感情論の前では、現実的に国や政府がどんな対応をとったとしても、足を引っ張るだけではないかと、私は遠巻きに見ながら心配しています。

だとすれば、その無間回廊のようなスパイラルの出口は、どこにあるのか。

大切なパトロンに、ある日突然捨てられた「日本」という、自立能力も、そのノウハウも持っていない国家が生き延びて、私たちの子どもや孫の世代まで、せめて安心できる社会をバトン渡しするためには、今、私たちにできることは、何からはじめればいいのか。

それはたぶん、謝罪でも賠償でも、ましてや制裁的外交戦略などではなく、国内においても、虚構好景気の幻の再臨を願うのでもなく、まずは「今までの日本の国家レベルは、大国の国益補助によって成り立っていて、日本独自のスタンドアローンなやり方では、世界では相手にされず、未来への負債が、蓄積されていくだけなのだ」という、概念論のようなところから、再スタートをきるべきではないかと思うのです。

「目には目を」的な、感情的な外交政策やスタンスは、鎖国して、篭城戦略の余裕がある国家が行なって、初めて効果を発揮します。

国内におけるゼロ金利や公共事業拡大などの経済政策も、外貨流通や物流などの点において、プラスマイナスの簡単な計算で、国家として世界の中で収益を見込める目処があって、初めて国内の経済を潤沢化させる機能性を発揮する問題であり、それは、社会や国家が「人の集まりである」という大前提に立ったときに、極めてシンプルにたどり着く、人の生理に根ざしている真理だからであります。

人の生理的感情論で言ってしまえば、今回私が述べた「日本はアメリカというパトロンがいたからこその国力だった」は、戦後の日本をなんらかの形で支えてきた人たちにとっては、承服し難い論調であることは、理解しているつもりでもありますし、私とて、それをこれからも続けるべきで、延々とパトロンを替え続ければ良しなどとは、ゆめゆめ思ってはいません。

ただ、私たちが今考えるべきことは何なのか。

そこには諸説さまざまな意見があるとは思いますが、私はそこに「先進国・日本というプライドを、一度捨ててみること」も、加えてみてもいいのではないかと、思うのです。

来たるべき国政選挙。

皆さんは、何を選び、何を拒否して、何を受け入れるのか。

「私たちの国家は、先進国としては自力維持不可能な、歪な入れものだったのかもしれない」を、受け入れることが果たしてできるのか。

第二章
令和のゆくえ

時代と言葉

2016/07/17

私のように、文章で仕事をしておりますと、どうしても時代性・リアルタイム性というものを意識して言葉を使ってしまうわけですが、例えばと、SNS等を見回しておりますと、随分と言葉や熟語の「正しさ」というものに、喧々諤々と議論することが、とても好きな人たちがいるのを見ることも多いわけです。

いわゆる「使っている言葉の正しさ」。

それは例えば、「確信犯」「愉快犯」「汚名挽回」「役不足」といった言葉たちが、ありがちな「間違い（と思われている）」で使われると、どこからともなく、鬼の首を取ったような人が現われて、紋切り型の「正解指南」をしてくれるという、ちょっとよくわからないシステムが、ネットでは跋扈（ばっこ）しているわけですが。

少し考えれば、それらはすべて違う問題で、なおかつそもそも論も異なっているケースが少なくないわけです。

法律学上の「確信犯」は、自分の行動の“道徳的・宗教的あるいは政治的な正しさを確信”してなされる犯罪のことを指すわけです。しかし、「愉快犯」は行為の概念そのものを指しているだけであり、必ずしもその行為が犯罪を成立していることが、その言葉の用法的な絶対条件ではありません。

また、よく初歩的雑学などでネタにされる「汚名挽回」ですが、これを指して「そういう時は“名誉挽回”か“汚名返上”だろう。汚名を挽回してどうする」と嘲笑する人も多いですが、近年になり、国語辞典編纂者の飯間浩明氏が「汚名挽回」という四文字熟語の有効性を立証し、三省堂国語辞典に明記したことを発表し、一部では話題になりました。

そうなってくると、「確信犯」も「役不足」も、誤用指摘が常に正しいのか、怪しくなってきます。

「汚名挽回」の飯間氏も、「この『汚名挽回』誤用説はいつ頃から発生したか。私の知るかぎりでは、1976年の『死にかけた日本語』（英潮社）の指摘が早いです。それまで『汚名挽回』は普通に使われていたのに、これ以降、誤用説が強まり、今は肩身の狭い立場になった。この本はけっこう影響力があり、やっかいな存在です」とTwitterで語ったように、私たちの日本語、いえ日本語に限らず言葉、言語は、時代や社会性とともに、意味性や用法が、変化していくことが自然であるのではないかと、社会学的には思えるのです。

少し話題がそれますが、今世界を騒がせているフランスのテロ事件のニュースでも、発砲した拳銃の跡が「銃痕」という呼び方で報道されているというのも、少し話題になりました。今までであれば当然のように「弾痕」という呼称を用いていたわけですが、ここには少々、悪ふざけに近い邪推のような解釈も含まれるので、話題を先に進ませます。

私たちが日常や社会の中で使っている、言葉や単語の意味合い、用法に関して、確かに「そもそも」を知っている側からすれば、間違った使われ方をされている状況というのは歯がゆいわけです。そこで文句の一言も言いたくなる気持ちも、これもわかります。

しかし、「新たな用法ではだめだ。そもそも論がすべてにおいて正しい」と極論を言ってしまうと、私たちは平安言葉や縄文時代の言葉で会話しなければならなくなる、という、こちらも極論ですが成り立ってしまいます。

その遡りのプロセスで語るのであれば、日本語の常用の二人称である「おまえ（御前）」や「きさま（貴様）」等は、日本語の歴史的には、とても相手を敬った二人称であるはずですが、現実の現代社会でこういう呼ばれ方をして、さて、喜ぶ人がそもそもいるのかという話になると、私などは首をひねらざるを得ないわけです。

同じことは、時間軸を遡った縦軸だけではなく、外来語という形で横軸にも同じことが言えます。

私の小学校からの同窓生に、アメリカのSeattleに渡り、そこでアメリカ人の旦那様と幸せな結婚をして、四半世紀も、もうSeattleに住んでいる女性がおりますが、彼女との会話で「以前、（日本人同士で）私のことを、ユニークと言われた。とても腹立たしかった」と憤っていたことがあります。はてさて、日本を出て生活したことがない私には、その言葉は、個性を褒めこそすれ、貶めているようにはまったく聞こえません。むしろ、独特の個性を、称えている言葉に聞こえます。

私がそう思っていることを告げると、彼女は「その物言いはもっと失礼だ」と拗ねてしまったのです。

「ユニーク」は、英語ではuniqueと表記します。「独特」は、これはまぁいくつか翻訳の解釈もありますが、peculiarという英単語に置き換えることもできますが、一方ではcharacteristicという英単語にも置き換えられるのです。

characteristicは、もちろん「キャラクター（character）」からきているわけですから、uniqueかつcharacteristicという表現は、普通の日本人の感覚からすれば「ユニークなキャラの人」という、いかにも社交的で親しみのある人を表現しているように思えますが、そもそもの英語の意味としては、私たち日本人が想像する意味合いとは、まったく違うのだそうです。

これはあくまで彼女の、市井のアメリカ人としての意見だそうですが、uniqueかつcharacteristicという表現は英語圏の人には「非常識で変人」というニュアンスで受け取られてしまうのだそうであります。

もともと、日本人は西欧文化をアレンジして我流で取り込んでしまう、我儘な国文化ではありますから、curry がカレーライスになったり、cutlet がとんかつになったりするように、外来語も日本ではやり定着するときには、元の意味から遠く離れたものになるというのも、これはわからない話ではありません。

ですが、そうなってきますと、普段私たちが、何気なく使っている言葉。特に意識し合わなくて使い合っている言葉の、共有概念ですとか、正確性というものが、非常に不明瞭で不安定なものに、いきなり感じてきます。

そしてそこに、法律用語や古来文法や外来語の元意味という「正解」をもってこられても、今一歩、腑に落ちないものを感じてしまうのも、これは道理だなと思ってしまうのです。

果たして「正解」が、唯一無二なのか？というですね。

今、私は「果たして」という言い方をしましたが、これもこれで、普通にはこれを、疑問形文章の頭につけることが、正解であると思われがちなのですが、意外と「果たして」は、「結果的には」という意味で用いられるケースも少なくありません。それは「全然」にも言えて、「全然」は、必ずしも否定形の文頭につかなければいけないという制限性は、これもなかったりします。

もう、ここまでくると、なんでもかんでもアリにも思えてきてしまうので大変です。

社会心理学などでは、若者言葉、流行語などは、帰属クラスタ認識を速やかにおこなう、合言葉のようなものであるという解析は当たり前ですが、イマドキの若い人の前に出ていって「そもそも“やばい”という言葉の、本当の意味はね……」と講釈を垂れても、無意味であることはもう、明確なわけです。

なぜかといえば、そこで仮に「危険な」という意味の枠外で「やばい」を常用する若者たちの間では、用法のタイミングやニュアンス、会話時であればそのトーンや連呼の回数などから、口にした相手が、どんな意味合いで「やばい」を使っているかを、察して理解するからです。

私たち、プロの物書きにとって、文字や言葉は商売道具です。

それは、調理人にとっての包丁、プロ野球選手にとってのバットやグローブに当たります。

しかし、プロであるからこそ、私は以前もここで「誰がその記号を並べたのか（第四章収録）」でも述べましたように、文字の、記号としての限界論みたいなものを、熟知していなければなりません。

記号には、記号に見合ったウェイトしか、その中身は保障されません。よく、ネットで文章発信をするようになったり、作劇でプロになりたいと志す人などが、一番最終目標として設定しやすいのが「自分が文字をどう配列していけば、自分の思っているどおりの自分が、そこで正確に文章化できるか」なのですが、これは少し間違っているんですね。

実際に、プロの現場で一番大事なことは実は、「自分が文字をどう配列していけば、自分の思っているどおりの自分が、“正しく相手に伝わるのか”」なんです。

仮に、自分の内面やメッセージを、細部まで正確に文章化できたとしても、それが意味不明な文字列で構成されていた場合、そんな文章にはなんの意味もなくなってしまうわけです。

文字は、記号であるとともにツールですから、伝えなければ存在価値がない。伝わらなければ意味がないわけです。

そう考えていくと、語学や歴史における「正解」は、あくまで分母を無尽蔵に増やしていく中での、意思の疎通の担保といいますか、最大公約数的な共有認識の指針であって、「その単語が、正しい意味で使われているか否か」は、あまり重要ではないと、そう言えるんですね。

今、中年として現代を過ごす私たちが、若者の言葉の乱れや、誤った用法に眉をしかめても、肝心の若者同士の間で、意思の疎通が図れていれば、どこにも問題は起きないわけですし、むしろそこで眉をしかめる私たち自身が、まだ若者だった時代は、やはり必ず上の世代には眉をしかめられていたわけですから、これは歴史の必然というわけです。

それは、昨今社会で問題視されている、新生児の命名志向にも似たようなことがいえると思います。

今世間では、キラキラネームと呼ばれる命名が流行していて、世の自称良識人の方々はたいそうお怒りのようではありますが、考えてみれば、現代の私たちが、老人の名前としか認識できない「トメ」「イネ」「ゴンゾウ」等は、100年前は流行の若者名前だったわけです。

女性の名前に「子」がついたのも、昭和10年代に入ってからの流行とも言われていて、当時の堀辰雄文学の流行から、生まれた自分の娘に「菜穂子」と名づける親も多かったと聞きますが、そんな現象もやはり近年のキラキラネームの流行と変わらず、私たちの時代までは普通だった「○○子」という名前のつけ方も、今やすっかり古臭い文化になってしまったと言っていいでしょう。

つまり、30年も経てばこの国では「恋望空（れのあ）」やら「雄（らいおん）」が、当たり前の日本人名になってる時代が、必ずやってくるというわけです。

そういう意味で、その時代、時代の流行語は「イカしてる」「シビれてる」

「ナウなヤング」「チョベリグ」「MK5」等々、必ず自然淘汰の儀式を免れず、しかし逆を言えば「かっこいい」も「ダサい」も、「素敵」ですら“生き残った流行語”が、定着して今に至っているわけです。

「“ら”抜き」言葉の是非も含め、未来を予知できない我々には、明日、そして未来に、どんな言葉が生き残り、どれが淘汰されているのかは予見できません。

しかし、言葉の多さ、ニュアンスの違いによる多様さこそが、文化であり民度であるという大前提に立つとき、その豊富さと潤沢さを誇れる文化を持った国であってほしいと、断然思います。

今、私は「断然」という言葉を使いましたが、この言葉もまた、私が生まれてきたころの、高度経済成長期の日本では「若者が使う、汚い日本語」の代表だった時代もあるようです。

言葉に正解はなく、共有するべき、キャッチボールするべき相手に、本質的な意味が伝わればよいと、私は申しました。

そこでの、その「閉じた共有」が、社会の幅まで広がっていけば、無駄な諍いも争いも生まず、祖語のないキャッチボールの中で、異論・反論・多事争論が行なえるのではないでしょうか。

そこまでをふまえた上で言葉を正しく使っていこうとする姿勢こそが、まさに「情けは人のためならず」なのであって、言葉の正しさを武器に振りかざして、マウンティングで議論モドキで他人をやり込める姿は、どうやらキャッチボールではなく、ボールのぶつけ合いにしか興味がない人たちのようにも見えます。

やるのであれば、楽しくキャッチボールをしましょう。

きっとそのほうが、社会も人生も楽しくなるはずです。
「言葉を大事に」は、それを目標として、私たちプロからまず、率先していくべき枠組みなのでしょう。

「子ども」と「子供」

2016/06/30

私の文章を読んだことがある人の中になら、お気づきの方もおられるかもしれませんが、私は文章を書くときに、必ず「子ども」という書き方をするようにしていて、決して「子供」という漢字を使うことはしないようにしております。
今日は、そこに関しての私なりの考えの話をしてみたいと思います。

今を去ること45年前の70年代前半。
当時は第2次ベビーブームの隆盛で、私たちの世代は爆発的に増えてしまい、そして、私たちの世代は「現代っ子」という呼び方をされていました。
そのころ、児童文学・文化・教育の世界で、まとまったひとつの運動のような動きがありました。

陣頭指揮を執ったのは、当時「ケンちゃんシリーズ」（1969年～1982)、「コメットさん」（1967年)、「ウルトラマンタロウ」（1973年）などでプロデューサーを務め、TBSでは伝説の敏腕プロデューサーとして、子ども向け番組を中心に、その名を馳せていた一方で、佐々木守、市川森一、長坂秀佳、石堂淑朗ら、一騎当千の脚本家陣を育成したことで、通称「橋本学校の校長」と呼ばれた、橋本洋二氏。

そして、映画監督・大島渚氏の創造社で「絞死刑」（1968年）、「夏の妹」（1972年）、「略称・連続射殺魔」（1969年）など、松竹ヌーベルバーグの先進的な前衛映画活動を脚本面で支え、一方で「ウルトラマン」（1966年）、「コメットさん」（1978年）、「おくさまは18歳」（1970年）、「赤い運命」（1976年）などで、日本テレビドラマのトップランナー脚本家として、精力的に活動していた佐々木守氏。

そして、戦後民主主義教育や児童向け性教育の推進家でもあり、教育評論家でもあった、カバゴン先生こと阿部進氏。

「全国こども電話相談室」（1964年～）での、独特の言い回しの受け答えで愛された、禅宗の僧侶でもあり、児童教育評論家でもあった無着成恭氏。

これらのそうそうたるメンバーが集い、旗揚げしたのが「現代っ子研究会」であり、そもそも「現代っ子」という流行語自体、このチームが生み出し、流行らせた言葉だったのですが、そこでの立ち上げの理念創生の第一歩としてアジテーションされたのが「これからは、子どものことを『子供』と書くのはやめよう」だったのです。

ロジックはまぁ、わかるような、わからないような。
そこではつまり「漢字の『供』とは、主従関係の従者を意味する。つまり大人が『子供』と書いてしまう行為は、コレは無意識で、子どもを従者として、隷属関係で位置づけしている証でもある。現代ではもはや、子どもたちは大人社会の従者ではなく、独立した人権とプライドを認め、その子ども社会の独立性も、大人社会はこれを認めていかなくてはならない現実を、改めて認識するため」、そう書かれてありました。

まぁ、シニカルなツッコミを入れてしまえば、「そういう提案をしちゃう視点」を持った時点で、大人は子どもを差別しているという、深層心理学的なアレコレも、当然見えてしまったりもしますし、何より私自身は、当時の子どもという当事者感覚で、「大好きなウルトラマンを大人が勝手に『こどものきょういくのため』の道具にしている感覚」に対して、嫌悪感を持っていたことも事実であるので、そこでの「現代っ子研究会」の思想や理念や実践活動内容に対して、100%のレベルでの、無為な拍手を送ることは、これはできないものがあるのですが。

ただ、日本の児童文化、児童教育現場において、橋本氏率いた「現代っ子研究会」の果たした成果が、どの程度実を結んだのかという現実問題になると、話は別になってくるのであります。

私がかつてブログというメディアをフル回転させて、「コメットさん」、「俺はあばれはっちゃく」（1979年）他を撮った山際永三監督や、「ウルトラセブン」（1967年）、「怪奇大作戦」（1968年）の安藤達己監督にインタビューを行ないましたが、そのなかでも、当時の「子どもと向き合うべき立場にいた大人たち」が、私たちという世代の、濁流のような大量発生と時代の闊歩に対して、「何かをしなければいけない」「今までと同じではいけない」「何かを示さなければいけない」という使命感にも似たモチベーションを、共有していたことだけは、確かな事実だったといえるでしょう。

それは、あの時代の大人という「戦後日本を復興させたプライドを持った人たち」が、初めて畏怖した瞬間であり、希望を改めて抱いた瞬間であり、そのことは、私たちの世代が小学校や中学校時代の、入学式や卒業式で必ず校長先生等から「あなたたちが日本の21世紀を、つくり支えていくんです」と、呪文のように繰り返されたことからも、容易に想像できる構造なのです。

かつて、「機動戦士ガンダム」（1979 年）を監督した富野由悠季氏は、ガンダムが大ヒットした当時、インタビューに対して「大人が子どもを子ども扱いしないで、同じ目線で真剣に話せば、その内容自体が伝わらなくても、『あぁこの大人は、何かを僕に真剣に伝えようとしてくれているんだな』という姿勢だけは伝わる。そしてそれはその子にとって、未来に大きな宝になる」ということを、「ガンダム」放映時の『月刊アニメック』誌上で語っていたことがあります。

結局、結婚しても子どもを作らなかった私などの場合は、何を偉そうに語っても机上論の域を出ないのではあるのですが、まさにその「大人が懸命になって、子どもに目線を合わせて何かを伝えようとした時代」その時代を、その対象たる子どもとして生きた一人として、また、当時の児童文学や子ども向けテレビを批評し語り継ぐ一人として、その「子どもを『子供』と書かない」姿勢だけであっても受け継いでいきたいと、それは個人の欲として思うのであります。

「あなたたちが将来、この国の 21 世紀を作って担っていくんです」

それは、40 年前の大人たちが抱いた、悲痛な願いの言葉だったのかもしれません。

それに応えるだけの結果を、私たちが出せているのかははなはだ疑問ではありますが、それでもバトンは、受け継がれていかなければなりません。

今、「子ども」と呼ばれている、次の世代に対して。

だから私は、その「次のバトンランナー」である子どもたちに敬意を表わし続けるために、「子供」という漢字は、使用しないで物を書いていきたいと、そう思うようになったのであります。

自己満足でしょうし、当時の「現代っ子研究会」の理念や行動も懐疑的ではありますが、それが、私たちの子ども時代を懸命に支え続けてくれた大人世代への、せめてもの返礼的な、私の提示する答えでもあるとは思いますし、少なくともその「自分たちから見たときの子ども世代を穿つことなく、見下すことなく、見つめ続けていきたい」という意思表示そのものは、実際の結実行動の内容とは切り離して、評価されるべきだと思うのであります（私の中において個人的には、日教組や共産党にも、同じ思いがあります）。

普段、私達が何気なく使っている言葉や漢字、文字にも、それら全部には、さまざまな意味や由来があって、それは片方では、面白おかしくスキャンダルチックに「言葉狩り」や「禁止用語の是非」の側面だけで取りざたされているのですけれども、時として、自分の生き様や価値観、スタンスを意思表示する意味で、何かに拘ったり、意識してみるのも、良いのではないでしょうか。

立ち止まる力

2016/07/06

私がシミルボンで定期的に皆さんに向けて発信している「web 多事争論」は、かつて日本のジャーナリストとして偉大なる貢献を残した故・筑紫哲也氏がメインパーソナリティを勤めた報道番組「NEWS23」における、筑紫氏のコラムコーナーのタイトルから来ていて、少しでもその意志と意義を継ぎたいという、そういう理念からはじめたシリーズではあることは本書冒頭で触れました。

その筑紫氏が、今を去ること30年以上前の1986年に新造した流行語が「新人類」というものでした。

既存の大人社会の尺度では計れない、コミュニケーションが通じない。しかし、その世代の中においてはしっかり社会は形成されている。

これをして、すでに人類のスタンダードが変革したのだという印象論を、的確に言葉にしたのが、この「新人類」という単語だったのでしょう。

資料によりますと、新人類の定義は「1960年生まれから1965年生まれまで」とあります。

そう考えますと、はて1966年生まれの私などは、その新人類の定義に入るのかどうか。

1965年生まれと1966年生まれを分かつ定義はなんなのか。

そのような、瑣末な定義が気になってしまうのですが。

そこはおそらく、やはり瑣末なディテールの問題であって「バブルの時代に社会に飛び出た世代」という前提論で言うのであれば、私などの世代もやはり「新人類」に分類されていくのでしょう。

おもしろいのは、その「新人類」という単語が当てはめられた世代は、実はそのまま、前回の「『子ども』と『子供』」で述べた「現代っ子」と、かつて呼ばれた世代そのままなのであります。

私は、世代論というのは確固として存在すると思っています。

少し頭が良くて、シャープさをセールスポイントにしている若い人であれば「世代論は、年寄りが安心するための虚構の概念論でしかない」と気取って切って捨てるのでありましょう。

若い人にとっては、人口分布が世代論で区分けされて住み分けされるよりも、自らの世代こそが、オールインワンの究極世代であり存在であるという、幻想を一時期でも、持っていたいと思うのは、それは人の生理でもあるからです。

例えば、その延長上で言うならば、今ネットの世界などで、「ネットを使い始めた最初の世代」が、もう少し若い世代を揶揄して非難するときに「ゆとり世代」などという言い方をあえてするのは、それは「団塊の世代」「現代っ子」「新人類」と、常に世代にレッテルを貼り続けてきた、私たちより上の世代へ当てこすった、「世代への、レッテル貼りと差別」への、アイロニカルなパロディなのだと受け止めることも可能だと、私は思っています。

しかし、世代論というものは存在してしまうと思っています。

それは、個人は環境が育てていくものであって、その「環境」が一律で大きな変化や変革を迎えれば、個人への影響をもたらす定数が、常に変化していくわけですから、元の個人の固有性に対しても、一律同じ角度のバイアスがかかるから、であります。

戦後の貧困社会や、そこから急激に伸びた高度経済成長。

その反動でオイルショックを引き金にした、絶望の世界と、その後のシラケ世界。

それらはそれぞれ、時代背景、社会背景となって、そこで生まれた世代すべてに影響を与え、それは、一律で同じ結果をもたらすわけではありませんが、等しく同じ「豊かさ」と「歪み」の下で、育ち育たれていくのだと思います。

それが、世代という集団で、ある一定の法則性を発揮することは、社会学的にも、なんら不思議はないのであります。

しかし、一方で私などの年寄りは「人という生き物は、そうそう時代で変化しない」という、妙な信心も持ち合わせていたりするものであります。

人の歴史・文化・文明は、数百年や数千年ではすまないスパンを持っています。

その中での、たかが数年スパン、数十年スパンの社会の変化で、そうそう、人がそもそも生物として持っている生理の部分までもが塗り替えられるわけがないと、私は思っていますし、信じたいのです。

戦後の貧困は、人の心を蝕むと同時に、そこから立ち上がる根性を植えつけました。

高度経済成長は、その結実への充実感と、物質的な豊かさへの依存を生み出しました。

オイルショックやその後のシラケ社会は、個人が社会に対して、拮抗できないという前提論を踏まえ、生きなければならない閉塞感を生み出し、バブルの頃は、日本人は「好景気は降って沸いてくるものだ」とばかりに、そこでの検証能力を、思考停止させてきました。

それぞれに、それを受け止める世代があって、そこではもちろん、その背景もバックボーンも、「何も知らずに」生み出され、育まれる世代もあります。

それらは大なり小なり「その時点での、結果としての社会」という環境の影響を受けずに、人格や価値観を形成していくのは、これは不可能でしょう。

だから世代論というものはなくならないし、確固として存在すると私は思うのです。

しかし、その一方で、いつの世であっても変わらないのは、人は、自分の環境や時間とは縁がない「他人」と出会って親交を深め、それが男女であれば、愛し合い、夫婦となって家庭を築き、子を生み育て、死んでいくという、種の根幹にある、システム論であります。

それは、人がそもそも、猿が進化した生きものである以上、どれだけ社会が進歩しようと、文明が進化しようと、切り離せない生理です。

そこは忘れてはならないと、私は思うのです。

時代はいまやインターネット時代を迎え、パソコンや携帯電話が、決してビジネスマンや好事家の最先端ツールではなくなり、市井の人々が、普通に活用できる時代に、今はなりました。

そこでは、毎日リアルタイムで、人が人と出会え、そして別れ、悲喜こもごもがそこに生まれます。

しかし、考えてみれば私たちの祖先は、まだ交通機関も通信手段もなかった時代は、江戸時代以前は、生れ落ちた村落や町で育ち、そこで同じ時代に同じ場所で生きた、たかだか数十人、数百人という人間しか見ないまま、その生まれた場所から一歩も出ることなく、死んでいったケースがほとんどでした。

それは「手軽に知らない人と出会えて、気軽に関係を断ち切れる」という、今のインターネット時代の、人間関係構成とは真逆に成立しているものです。

文明が進化し、進歩し、便利になるということは、決して良いことばかりではありません。

皆さんも経験があるとは思いますが、それが現実の学校や職場であれば、そこで仮に「気が合わない、嫌な奴」と隣り合わせたとしても、そこで「気が合わないから関係を断ち切る」ということはできはせず、「それでも」なんとかコミュニケーションをして、上手くやっていかなくてはなりません。

それは、江戸時代以前の村落でもそうだったのでしょう。
気が合わない、生理的に受けつけない、そんな相手とでも、頑張ってそこで、踏みとどまって、立ち去らずに立ち止まり、必死に交流を深め、時間を共有することで、実は、最初に抱いた第一印象とは、違う側面を見るきっかけを得ることもあります。
むしろ、そこまでのプロセスを踏まえなければ、理解できない側面があることは、実は人間同士では珍しいことではないはずです。

文明が進歩しても、道具が進歩しても、世代が変わっても、人という生きものが進化したわけではないのですから、どんなに便利な時代になって、知らない人ともすぐに知り合えるネットが完備されても、そこで「出会った人を見極める。自分との縁が意味のあるものかどうか検証する」力は、これは決して、人はエスパーではないのですから、江戸時代以前の昔からは、人は進化などしていないのです。

では、そこで濁流のように、次から次へと、回転寿司のように人と出会えてしまえる、ネットという道具と、その道具がスタンダード化している社会において、その「そこで出会えた人が、自分にとって価値のある人なのかどうか」を見極める力は、これこそが「踏みとどまって、立ち止まって、我慢してコミュニケーション」という、その時間の、エクササイズの連続の果てでしか、人は手に入れられないのではないかと、私などはそう思うのです。

医学が進歩したとはいえ、人間の寿命は 70 年少ししかありません。
それは決して「生まれてから死ぬまで、出会える人間の数が、数十から数百しかなかった」中世以前の人生と比較して、莫大に増えた数字ではありません。
そしてもちろん、その時間は一律で有限であり、そこで知り合えた、出会えた見知らぬ人たちに対して、「3人にそれぞれ20年以上を費やす」のも、「70人に一年ずつ費やす」のも、それは自由ではありますが、人は愚かな生き物でありますからどうしても、自らの洞察力を、過信してしまい「一人に対してじっくりと、時間をかけて」繋がるよりも「直感と第一印象で、嫌だと思ったらすぐに切り捨てて、次の出会いを求める」という手法の方が、ローリスクで効率的だと思いがちです。

しかし、人という生きものがそもそも持っているキャパは「出会える人数 (x) ×費やす時間 (y)」という数式で考えると、そこで＝で出てくる数字は70年で一定であり、回答が一定数であるならば、xが増えればyが減り、yが増えればxが減るのは、数学の基本であります。
私はそのバランスは、江戸時代以前の人数と時間のバランスこそが、人がそもそも持っている、適切な数字ではないかとも思うのです。

現在、筑紫氏が提唱した「新人類」のさらにジュニアとも言うべき世代の人々が、「進新人類」という運動と、社会活動を行なっています。

そこで、その活動を旗揚げした主催者氏たちは、自らを「進新人類」と名乗り、ネットを使って、その存在性や価値、そして考えなどを、様々な形で発信していこうと、頑張っているのが現状です。
私は、中年を迎えた「旧新人類」の一人として、それを応援したいと思います。

もしかしたらその「進新人類」君たちは、私たち以上にネットというツールを使いこなし、上手に、効率的に「人と繋がり、発信し、受け止めあう」を、やれるかもしれません。
道具というものは、世代の移り変わりとともに扱われ方も効率的になります。

かつて中世の欧州では、自転車にも運転教習所があったことを考えれば、私たちの次の世代は、インターネットとパソコンというツールをもっとうまく、使いこなせるのかもしれませんから。

しかし。

私はそれでも、それと並行する形で「立ち止まる力」の大切さを訴えていきたいとも、思います。

見ず知らずの他人と自分が、出会い繋がりあうことに価値があるかどうかを、自らが判断できる洞察力は、一朝一夕では手に入らず、ネットという便利な道具は、それを磨くために腰を落ち着ける余裕を、逆に失わせる部分も大きいからです。

そして、そこは人という生物が持っているポテンシャルとしては、そうそう、プロセスを飛び越えた進化はしないだろうというのが、私の実感だからです。

かつて、「夢の超特急」と呼ばれた東海道新幹線が開通したときに、その速さや利便性がほめ称えられ、高度経済成長と科学文明時代の象徴として、一斉に国民すべてから、諸手を上げて迎え入れられた時代がありましたが、その狂騒が落ち着いた後に聞こえてきたのは「のんびり景色が流れるのを楽しむ、旅の楽しみの本質が失われた」でした。

もちろん、物心ついたときには新幹線が開通していた私などの世代からしてみれば、新幹線の速さと利便性を享受しつつでも、充分に旅気分は満喫できますし、景色の移ろいも楽しめるのではあります。

それは、私という個人以前に、社会が新幹線というツールをうまく取り込み、「旅の本質」をも、変質させたからかもしれません。

果たして、人はそうして「道具の利便性を求めて、失うものも補完していける生きもの」なのか「道具や文明の進歩によって、生理を歪ませてしまう生きもの」なのか。

私は、自らの選択としては、そこで「立ち止まって」みたいと思っています。
「立ち止まる力」で、そこで出会えた人や縁と、逃げることなく向き合って、今一度、自分の洞察力を鍛錬する行為を、続けたいと思っております。
「進新人類」君たちには、彼らの生まれ持った時代と世代を充分に活かして、そこで「次の形」を見せてほしいと思います。

ただ、私にはまだまだ、そうそう素早く的確に、第一印象や、短く少ないコミュニケーションだけで、人との縁をどうこうできる、自信もバックボーンも、スキルもないだけではありますが、ときには「立ち止まる力」で、目の前にいる人を相手にじっくりと、怒りもストレスも、不協和音すら受け入れて、それを楽しむのも人生ではないかと思うからでもあります。

翻訳のかたち　言葉を置き換える

2019/12/20

最近、懇意にさせていただいている女性プロデューサーの方から、おもしろい２冊の絵本を紹介されました。
知っている方は知っていると思われますが、1964年にアメリカで出版された、Shel Silverstein氏による『おおきな木』という作品です。
日本では、ほんだきいちろう氏が翻訳したものが1976年から篠崎書林という出版社から発売され、ロングセラーになっていました。

内容は、一本の木と少年の、心温まる関係から始まって、その少年が成長して老いゆくまでの人生を通して、残酷な人の内情が顕わになりつつも、最終的には人は己の原風景へ還るという、普遍的な内容です。

人間の、無意識のエゴと差別、そして払拭しきれない孤独への回帰は、市川森一氏脚本作品を思わせますし、永遠に繰り返される、少年の木へのエゴと、木の自己犠牲による多幸感は、日本の宮沢賢治『ほんたうのさいわひ』と同じ構造の中にあって、やはりロングセラーたるべき名作に違いありません。

ところが、その女性プロデューサーさんは、僕に同じ本を２冊渡してくれました。

なぜだろう？　絵本は画の部分も Shel Silverstein 氏が手がけているので、見栄えにも何も差異がありません。

ところがこれが、ページを開けてみると、内容は同じでも、そこで用いられてる日本語が、微妙に、かつ巧妙に、かつ高度に組み替えられているのです。

驚いた私はもう一度、その２冊目の表紙を見返しました。そこには「村上春樹・訳」と書かれていました。

もちろん原文は、同じ Shel Silverstein 氏のものです。しかし、ほんだ氏が

> まいにち　ちびっこは　やってきて　きのはをあつめ
> かんむりこしらえて　もりのおうさまきどり

という部分が、村上版だと

> 少年はまいにち　その木の下にやってきました

> そして　はっぱを　いっぱい　あつめました
> はっぱで　かんむりをつくり　森のおうさまになりました

こうなっています。

これは全編にわたって刷新が行なわれていて、そのことについてあとがきで、村上氏はこう語っています。

> この『おおきな木』は、これまで篠崎書林から本田錦一郎さんの訳で出版されていましたが、翻訳者が物故され、出版社が継続して出版を続けることができなくなったという事情もあり、今回訳をあらためることになりました。

ここにはまったく異論はありません。実際そのとおりなのでしょう。しかし、ただ訳を改めるだけであれば、現代日本文学の最高峰に位置する村上春樹氏を単なる翻訳家として用いる道理がありません。

ここに村上氏の、並々ならぬ本書への思い入れを垣間見ることができます。

そしてまた、例示した箇所だけではなく、随所随所に、そしてまた全編を通じて、この一冊が村上文体によって再構成され、原書の魅力や表現を一片たりとも損なうことなく、「村上作品」としても成立していることが、2つの書を読み比べていただくとわかるでしょう。

そこで私は、似たような記憶を思い出しました。

私が思春期の頃の、1982年に、SF界の巨匠・Fredric William Brown氏の短編集が、こちらはこちらで日本SF界の長老重鎮・星新一氏の翻訳で、サンリオ文庫から『フレドリック・ブラウン傑作集』というタイトルで刊行されたことがありました。

Fredric William Brown 氏はそもそも、リリカルかつ機転の利いた短編を得意とする作家でしたので、日本語化するにあたっては、SF の知識、基礎文学力、そしてなにより上記の部分に呼応するかのように「ショートショートの神様」と呼ばれた星氏の筆力が神がかっていて、まさに完成文庫は、Fredric William Brown と星新一のコラボ競作という趣に仕上がっていたものです。

それは、今回の『おおきな木』にも言えて、本田氏の翻訳を貶める気はまったくありませんが、本田氏が原著のリズムや言語を、より正確に日本語化しようとした結実が篠崎書林版には顕著に出ていましたが、村上氏は一度その「日本語」を因数分解して、Shel Silverstein 氏の表現に、何も加えず、何も引かずに、「新たな村上文学書」を構築したのではないでしょうか。

私は、星氏や村上氏の偉業を、ことさらスタンダード化させたくて今回筆を執ったわけではありません。

本来翻訳家というのは、言語を置き換え、言葉を置き換え、「Apple」を「リンゴ」に、「Star」を「星」に変えていき、日本語しか読めない読者に、外国の作家の表現のおもしろさを伝える、縁の下の力持ちが本領だと思っています。

言い方は悪いですが、音声入力をテキスト化するソフトやアプリが昨今流行っていますが、あれも一つの「翻訳」で、翻訳家とは本来、そのようなアプリやソフトのような役割だと思われるのです。

しかし、おそらく村上氏は Shel Silverstein 氏への、星氏は Fredric William Brown 氏への敬意やリスペクトが人一倍高く、またお二人とも日本の文壇では巨匠であるわけですから、そこでは十把一絡げの翻訳家では許されないような「個性」「作風」の表現というものが許されてきますし、むしろ編集やエンドユーザーは「それ」を求めてきます。

おそらく、星氏も村上氏も最上級のプロですから、そこは意識しつつ、どのように「原著を原書で読みこみ」つつ「どのような文体で、どの日本語に置き換える」ことで、他ではない自分が訳す意味とバリューを付加するか、腐心したのだと思われます。

特に村上氏は、翻訳にも長けていて、これまでにも多数の訳書を手がけています。そんな村上氏だけに、この違いは村上氏の「読み込む」力をシャープに伝えているのではないかと思えます。

今、「読み込む」と書きましたが、翻訳家というのは多言語をマスターしていれば誰でもなれるものではなく、より文学性と文学力が求められます。

それでも、映画の字幕や翻訳文学の世界では、とにかく「まずは日本語で意味が通じるようにすること」が優先されていた時代もありましたが、本来「言葉の置き換え」によって伝えるべきは、言語が対応している日本語ではなく、言語の「真意」であると思っています。そう考えていったとき、原著の「文体」までをも翻訳で伝えることは、これはまず不可能であり、しかし「それ」を、腹をくくった翻訳家が、自分でリズムや文体を構築していった先で、そこに原著の翻訳単語や文意をはめ込んでいく作業は、きっと有効なのでしょう。

翻訳はインテリジェンスの賜物です。単なる作業ではありません。

なぜなら、人間が使う多言語が、必ずしもすべてに呼応し、互換性を有しているとは限らないからです。

例えばそれこそ「リンゴ」は、リンゴがある言語の地域の数だけ互換性のある単語はあるでしょうが、当然「リンゴがないのでリンゴをあらわす単語がない言語区域」も存在するはずです。

翻訳という行為自体、異文化の文学を取り込もうとする社会的コモンセンスが一定以上でないと需要がない行為ですが、原著、原著者の帰属する文化、そして翻訳先の文化や言語に精通した翻訳家、そして、それを受け取り咀嚼するエンドユーザー。これら三者のインテリジェンスが同期しないと、翻訳書は完成しません。

そこには必ず、異言語社会への敬意と興味、そして礼儀がないと、完成しない三角形だと思うのです。

私は若い頃、ハヤカワ文庫等の翻訳文学が苦手でした。

アレには独特の「読み方」があり、暗黙のルールがあり、それらを知らない私には、敷居の高い、居心地の悪さしか感じなかった時代もあったものです。

最後になりますが、逆の話をしますと。

日本語ではかなり昔の時代から当たり前の挨拶（というか慣習語）で、食事をする際に「いただきます」と一礼をしてから食べるという習わしが今でもなお当たり前ですが、一説によりますと、日本以外の言語のどこをさがしても、この「いただきます」を、一言で言い表せる言語区域がないらしいのです。

そもそもの細かい文意としての「今日おいしいものが食べられるのは、肉や魚や野菜などの命を、捧げていただいたからです」を文章化することは可能ですが、それを一言で簡略化させて、食事というコミュニケーションの冒頭で言い合う文化は、日本固有のものなのです。

世界全体が不況に見舞われて、宗教やエネルギー資源、イデーの違いなどから、戦争や紛争が絶えない社会ではありますが、こうした「ちょっとしたこと」で、われわれの当たり前が、諸外国の当たり前に、置き換えられるのかどうか。置き換えてもらえるのかどうか。

今回紹介した村上氏や星氏のように、その責務を背負う覚悟と技量を持って国際社会に向き合おうとする日本人になっていくためには。

私は、そこへのヒントが、『おおきな木』での、木の振る舞いにあると思っています。

村上春樹作品ともいえる絵本『おおきな木』。

一度ぜひ、読んでいただくことをお勧めして、今日の多事争論は終わりにしたいと思います。

男尊女卑は正しい日本伝統か

2016/08/03

2016年の夏の高校野球甲子園大会において、とある問題が発生しました。

大会に向けて始まった練習で、大分県代表の大分高校の女子マネージャーが、練習のアシストでグラウンドに出たところ、大会関係者から注意を受けて、降ろされたという問題です。

これに関して、一応大会規約としては、危険防止を根拠として、「日本高等学校野球連盟の規定により、女子生徒は甲子園練習に参加できない」とされていますが、その根拠自体は「危険防止のため」と、いかにももっともですが、私にはどうも、今回の問題は、2000年代初頭に、大阪府知事を務めた大田房江女史を巡って議論が活発化した「大相撲土俵女性問題」と、似ている気がしています。

ご記憶の方も多いかとは思いますが、大相撲大阪場所では、優勝式に大阪府知事が出席することは常識なのですが、その大阪府知事に女性が就任してしまった。女人禁制、男性のみの神聖な場とされている土俵に、女性をあげるわけにはいかない、いや、それは女性差別だ、という形で、かなり活発に議論がおこなわれたものですが、やがて大阪府知事の交代と共に、その議論は沈静化していきました。

これに関しては、一応表層上の議論のテーマとしては、賛成側、反対側、双方に、重たい歴史書や日本書紀、古事記などを引っ張り出してきてまで、考古学的な「伝統とは」に対する議論が重ねられました。

たとえば、女性が土俵にあがることを否定する伝統を明言化した意見として散見されたのは、相撲はそもそも、古来の日本各地の農村で、豊作を祝う儀式だったのですが、その豊作の神様は女性であり、相撲はその女性の神様へ捧げる儀式であったとする説があります。ですから、土俵が女性の立ち入りを禁じているのは、女性の神様が嫉妬をしてしまうからという、こちらももっともらしい理由づけがあるわけですが。
（参考元　http://www.ne.jp/asahi/box/kuro/report/sumou.htm　）

しかし、そもそも相撲の発祥は、『古事記』の「出雲の国護り」にあり、天照大神の、国づくりの命を受けた大国主命（「因幡の白兎」の逸話で有名な神）が、自分の息子の建御名方神と、建御雷神が力比べを（つまり相撲の始祖）をした結果、建御雷神が勝ったというエピソードが残されています。それゆえ、建御雷神は相撲の神と呼ばれ、だから相撲は神聖な神事であり、女人禁制である、というのが、まぁ神話原理主義的な根拠なのですが、つまり相撲とは神聖であり、神聖には女性を近づけてはならぬという二段論法なのですが、この論法、いきなり矛盾が生じています。

今すぐ上で書き記した通り、「出雲の国護り」で発生した史上初の相撲の原因の神事は、天照大神の命から端を発した揉めごとであり、それを解決する手段としての相撲であり、つまりそもそもの、そこで言われる「神＝天照大神の命」自身が女性そのものなのですよね。これをして相撲が神聖というのであれば、男女問題は関係なくなるはずであります。

また、この土俵女性問題で、議論の一番表層で核となった「穢れ」という問題は、日本神道が由来だとされていますが、日本神道が「穢れ」と認定したがゆえに、日本相撲協会が土俵に女性を上げるに相応しくないと判断した根拠は、「赤不浄（血＝経血）」「白不浄（産機）」の、特に二つが禁忌とされてきたからでもあります。

ところがですね。今現在の日本相撲協会と日本神道とは、確かに深い繋がりがあるのは事実ですし、それぞれ、相撲も神道も、古来、存在しているものですから、普通の人は単純に勘違いをしやすいのですが、この二つの事象「神道と相撲は深い繋がりがある」と「神道と相撲は古来、存在している」は、わけて考えなければいけないということを、皆さんお気づきでしょうか。

相撲自体は古くから存在していますが、決してその歴史は、常に日本神道と一体だったわけではないんですね。

今現在の日本相撲協会が取り仕切る大相撲は、力士の所作や国技館や土俵の構築構造等に、神道の伝統や由来をあえて取り入れた様式美を前面に押し出していますが、それは決して、古くから互いが繋がっていた証拠にはならないのです。

その証明としてまずは、「江戸時代には女相撲があった」という、動かせない事実です。女性が土俵に上がるか上がらないか以前に、女性自身が相撲を取るという行ないが、公で存在していた時期が事実としてあったのですから、これはもう、平成のご時世にどんな屁理屈を並べても、言い訳はできないわけです。

もう一つは、江戸時代の浮世絵師に、勝川春章という人がいたのですが、勝川春章氏が当時の女相撲を描いた「鎌倉山女相撲濫觴」という浮世絵と、勧進相撲での、男性力士たちの土俵入りを描いた浮世絵の「東西土俵入り」が、ほぼ同じ土俵を舞台に描かれており、それは、現代の両国国技館を筆頭に「日本神道の伝統に沿った」様式とは、微妙に似て異なる、形状で描かれている、ということであります。

「相撲はそもそも伝統芸能などでも、神事などでもなく、当時まだ奇形的な体系扱いだった肥満体の力士を使った、庶民的な娯楽の見世物でしかなかったものを、現代まで生き延びた結果、いつのまにか国家文化遺産のような、伝統芸能にされてしまった」は、ある種、歌舞伎や落語にも通じる逸話でありますが、歌舞伎も女人禁制と言われておりますが、江戸時代にはやはり「女歌舞伎」というジャンルがあったことも有名であります。

それはそうです。そもそもが、庶民が楽しむ大衆娯楽であったなら、そこで舞台や土俵に登場する性別を問う理由があるわけもなく、宗教的「穢れ」的言い訳も不要なのですから。

明治時代後期から、「黒頭巾」の名で活躍した評論家の横山健堂氏は、女相撲は明治 42 年までは行われていたと、自著に記しております。しかも、場所は回向院という場所であると記されており、その回向院境内に、明治 42 年に建造されたのが、今に続く両国国技館であったという事実があります。

私見ですが、私はこの頃に、相撲が見世物から伝統芸能に昇格し始めて、日本神道と一体化していったのではないかという見方をしています。

理由の一つは、その「相撲の舞台」が、回向院までは取り入れてなかった「構築構造等に、神道の伝統や由来をあえて取り入れた様式美」が、国技館では取り入れられているということ。

もう一つは、日本が近代化し、富国強兵の金科玉条の下、天皇陛下を神と崇めつつ（これ自体は以前からあった）その「神の名」の下で、国民は男と女で差別される「男尊女卑」という価値観が、日本神道とコラボレートする形で推し進められたということです。

なぜ、富国強兵と男尊女卑がリミックスされるのかといえば、一番簡単な心理的要因を言ってしまえば、「それまでは、命を生む女性のほうが地位は上だったが、諸外国と戦争をする前提の社会になると、外国まで鉄砲を担いで戦争に行って、死んでくる役目の男性のほうを、尊重する社会にしておかないと、戦争が機能しない」からです。

つまり「女性を神聖な土俵に上げてはいけない」は、「明治以降の富国強兵と戦争至上主義、その先の大東亜共栄圏思想へ向かう国家体制にとって、女性尊重のプリミティブな人間の価値観を、都合よく改変した、時の国家体制と、日本神道にとってのご都合主義」の賜物であったと言えるわけですね。

その証拠に、世界に残る宗教のうち、prehistoric religion（原始宗教）の多くは、その頂点に立つ神の多くは女性です（原始宗教には、特定の教祖や神を持たないanimismと、霊的能力に特化した者を頂点とするshamanismとに大きく分類されるが、shamanの多くは女性である）。

日本神話だって、天照大神（彼女もshamanに分類される）は女性ですし、滅ぼされた日本先住民族の邪馬台国の卑弥呼も女性です。今もanimism思想が遺されている沖縄県、かつての琉球王国の宗教も、ユタ信仰と呼ばれていましたが、琉球におけるユタとは、崇高な巫女のことであり、これも女性信仰の典型例です。

つまり、「古き良き日本」という、あるのかないのかわからないノスタルジィを成立させていた価値観の多くは、本当の意味での伝統文化ではなく、近代、日本が開国し、諸外国と戦争を仕掛けるようになった先での、消耗品としての国民、男性使い捨て国家体制への、カウンターウェイトのような「男尊女卑」であったわけです。

このあたりの構図は、太平洋戦争でむりやりに、特攻や負け戦に国民兵隊を突入させる強制命令を下しておきながら、戦死して帰国した兵隊の遺骨や戦死者を「神」と崇め奉って靖国神社に奉納した構図が、後づけで近代中世日本の「国民のコントロールの仕方」を証明しています。

さて、話はここで、ようやくそもそもの本題に戻ります。

「高校野球のグラウンドに、女子マネージャーが入ってはいけない」

確かにそこには今のところ、「神聖なグラウンド」や「女性の穢れ」といった要素は、日本高校野球連盟からは発せられていませんが、インターネットを俯瞰しても、徐々にこの国の男性の多くが、「古来日本伝統的価値観」と称して、ジェンダー差別、男尊女卑思想を復興、運用させようと、差別的言説が目立ち始めていることは、鋭角な流れとして存在しています。

確かに日本神道の流れは、江戸時代以前から、社寺の女人禁制や五山の送り火点火役女人禁制など、女性の「赤不浄」「白不浄」などを禁忌としてきましたが、どうも近代国家になってからの男尊女卑は、それを狡猾に口実にした、国体コントロールの方便になっているような気がします。

明治時代においては、富国強兵思想が男尊女卑を制度化していきましたが、平成の現代では、まず民意を男尊女卑へと誘導し、そこから国家体制を作っていく手順だったとしても、結果に変わりはないわけで、代理店的手法としては有効なわけであります。

私はですから、今こそ、女性たちよがんばれ、と、声を大にして言いたいのです。

男も女も、すべての人間は、女性がお腹を痛めて生んだ子たちです。

その子たちが、特に男子が、国家思想に従順な兵隊として教育され、御国の為に死んでいく、それを前提として、国家社会の中で優遇されもてはやされる。そんな構図を喜ぶ母親は、果たしているでしょうか。

国家は、システムは、徐々に女性の人権や声を掻き消しに動き始めております。日本という国の、国利国益を吸い取る頂点に立つ日本神道が、その歪んだ「男尊女卑」という価値観に裏付けを与えているのです。国家と日本神道は、そういう意味である種の共依存なんですね。

たかが相撲の土俵。たかが高校野球のグラウンド。

国民の中にある「そこは男の世界だから」を、うまく利用してコントロールされていく「女性排斥」の概念。

しかし、私たちは知っているはずです。

いざ戦争が始まってしまえば、太平洋戦争における日本の、東京大空襲がそうであったように、広島・長崎の原爆投下がそうであったように、日本国領内唯一の本土戦であった沖縄戦がそうであったように、戦争では「戦場で」は、男女の境無く、巻き込まれて殺されていくのです。

思想コントロールが先か、状況成立が先か。

女性たちよ、フェミニズムの先鋭化に陥らずに、どうかがんばって「男女平等の社会化」を目指してほしいと、男性の私は本当に願います。

（参考資料：『相撲における「女人禁制」の伝統について』北海道教育大学学術リポジトリ）

拉致問題と令和の日本

2019/12/28

かねてより日本国民の注目事項であった、北朝鮮による日本人拉致事件に、大きな問題点が発見され報道されました。報道には以下のように書かれております。

> 拉致問題を巡り北朝鮮が2014年、日本が被害者に認定している田中実さん＝失踪当時（28）＝ら2人の「生存情報」を非公式に日本政府に伝えた際、政府高官が「（2人の情報だけでは内容が少なく）国民の理解を得るのは難しい」として非公表にすると決めていたことが26日、分かった。安倍晋三首相も了承していた。複数の日本政府関係者が明らかにした。もう1人は「拉致の可能性が排除できない」とされている金田龍光さん＝同（26）。
>
> 日本では身寄りがほとんどなく「平壌に妻子がいて帰国の意思はない」とも伝えられ、他の被害者についての新たな情報は寄せられなかった。

えぇ、この北朝鮮拉致問題に関しては、かねてから安倍晋三首相が「自分の任期中に、自分の手で解決する」と意気込んでいた懸案でありまして、主に今世紀に入ってから問題が公になり、2002年の、当時の小泉純一郎首相と北朝鮮の金主席の会談から明確に問題が浮き彫りになり、その黒い歴史の恐ろしさに、国民が恐怖したのも、もう二昔前ということになります。

それ以降、政権党や首相の代替わりを引き継ぐ形で、これは最優先の継続国際問題として扱われてきたわけですが、近年は新しもの好きの国民性のせいか、あまりにもの政府閣僚の不正の多さに押し流されてか、多少勢いを失っていた拉致問題ですが、ここへきて注目の大ニュースが飛び込んできました。

1948年に建国された北朝鮮（朝鮮民主主義人民共和国）は、韓国との国境である、北緯38度線を巡って1950年に勃発した朝鮮戦争によって多くの国民を失い、国力を疲弊させてきた歴史がすでにありました。

当時のソ連・中国と連携する形で共産主義国家として成り立っていた北朝鮮は、しかしその内情を知らない外国の思想家や市民たちからは「夢の国」と言われていた時代もありました。

朝鮮戦争自体は早くも1951年春の、韓国によるソウル奪還作戦の成功後、1952年の休戦条約可決を持って、現在に至る膠着状態に突入してしまうのですが、一方でその課程において、朝鮮戦争が日本に軍需景気と再軍備強化を呼び込んだ現実を前提として、日本国内の一部の左翼運動家達の中では「北朝鮮＝米国帝国傀儡主義に対抗する理想の国家」という価値観も生まれました。

実際、北朝鮮は「チェチェ（夢）の国」という自国表現を用いてイメージ作戦を展開。

それは確かに日本で、反安保運動や労働組合運動等に参加していた活動家たちに夢を与え、北朝鮮を「地上の楽園」「模範的社会主義国」といった美辞麗句で誘い、仮想の理想国家として、そこへ行けば自分たちの夢が叶うと思わせる印象操作を行なっていました。

実際に、70年安保を直前に控えた当時の日本連合赤軍の一部が、1970年の3月に、日本航空のJAL351便・通称よど号をハイジャックして、そのまま北朝鮮へと亡命しようとした事件が起きております。

しかし「現実の北朝鮮」は、決して「夢の国」などではなく、そこへ辿り着けば理想郷があると信じている、夢想家の資本主義国家からやってきた亡命者たちを、次々と受け入れては奴隷にして、「日本人同士で日本人の子どもを作らせて、最終的にスパイとして利用」する「ブラック」な国だったということが、現在の国際情報では判明しております。

その一方で、ソ連による対アメリカの代理戦争の傀儡として機能しながら疲弊した北朝鮮は、日本が60年安保を締結する頃から在日北朝鮮人の帰国事業を開始。

国力の増強と補完を目指すも、いつまた再戦の火蓋が切られるかわからないままの中で、亡命者の受け入れを待つだけでは数も余裕も足りなかった北朝鮮政府は、手っ取り早く「隣国・日本の民間人を拉致して本国へ連れ帰り、スパイや工作員、日本の状況を知る情報源等として戦略的に活用すると共に、自国強化の国民数の換算の数に組み込む」という、人道的に許し難い作戦に出たのです。

現在公式発表の資料などによると、北朝鮮が日本人拉致作戦を実際に展開し始めたのは、70年代後半からではないかと推測されておりますが、北朝鮮の国際的諜報活動・工作活動は60年代からすでに確認されており、日本人拉致作戦に関しても「北朝鮮に拉致された日本人を救出するための全国協議会」の拉致問題に関する提起資料を調べてみると、元北朝鮮工作員の安明進氏による「金正日拉致指令についての証言」（1998年7月31日）には「拉致は遅くとも、1960年代からあったが、本格化するのは1970年代中頃からだ」というコメントがあり、70年代初頭のこの時期、すでに北朝鮮日本人拉致工作が始まっていた事実を示唆しております。

そんな流れで私事を差し挟むのも無粋ですが、私の亡妻さんがもともと新潟、上越の出身で、まさに拉致問題の地元というか、メインの現場出身だったのですが、2000年代初頭に小泉首相が問題を表層化させたときには「今頃なのね」と呆れていた記憶があります。

彼女は70年代に新潟上越に生まれましたが、幼少期の頃から、地元では日が暮れてからの行方不明者が続出するのは常識レベルで日常化していて、子どもだろうと思春期だろうとカップルだろうと、夜になったら絶対に海に近づいてはならないと、大人たちからきつく言い含められていたそうです。

話を聞くに、やはりそれは、私たち東京の子どもたちが、陽が落ちるまで公園で遊んでいて、親に叱られるのとはレベルが違う話のように聞こえ、当時の「日本海側一部での日常」には、すでにその頃、相手が何物かわからないままに、その恐怖が認知されていたのだと思われるわけであります。

逆に言えば、当時、いやそれ以前から地元で常識であれば、地元の所轄警察が知らぬはずがなく、県警が知らなかったはずはなく、日本全国の県警を束ねる警察庁が知らなかったとは言えず、政府も当然、当時から気づいていたはず、と考えるのが自然でありましょう。

小泉政権から20年。北朝鮮拉致問題は、表層化してマスコミが連日報道した頃から、永田町の政治ゲームのコマとして、好き放題に扱われてきた歴史があります。

今回の、政府高官の生存情報秘匿も、公表を拒む理由など一切ないのは自明の理であり、拉致問題のディテールや小出しの情報を、政府が支持率を上げる道具にすることは、拉致被害者の皆さんや、帰還を待ちわびる家族の御年齢的に、もうやめるべきだと言わざるをえません。

今回の一件も、まるで政府高官の自己判断のようにもみえますが、記事を読めばそれが、安倍首相の側の判断だったことは子どもにもわかります。

しかも、秘匿されていた情報が北朝鮮からもたらされた2014年といえば、ほかならぬ安倍政権が、北朝鮮への経済制裁を解除した年でもあります。

外交というのは難しく、正義と悪の二元論では語り切れない複雑なものがあるのは当然ですが、こと拉致問題に関しては、思い合う家族が再会できるかどうかの、究極の人道問題が関わっているはずです。

もう、官僚の椅子や札束のように、永田町劇場の出演者を操る餌に、拉致被害者を使うのはやめるべきだと思いませんか。

憲法を変えず、自衛隊を軍隊にする必要も、核武装する必要悪もいらずに、拉致問題を解決する方法はあるはずです。

外交問題は、決して勝つか負けるかだけのバトルゲームではないのです。他の近隣諸国、アジア諸国と足並みを揃えて北朝鮮に迫るという選択肢もあるはずです。

そのためには、諸国すべてを敵認定して孤立していては、連携できる外交戦略も、役割分担しての交渉もできなくなります。

かたくなな右傾化は、僅かに残る拉致被害者家族の望みをも諦めさせてしまうかもしれないのです。

敵の敵が味方とは限りません。敵は、こちらが敵視することで敵になります。

敵を増やしつくり続ける国は、ささやかな願いすらも踏み越えて、どこへ向かっていくのでしょうか。

第三章
世相のゆくえ

「個」は選択だけで決まるのか

2016/07/14

先日来のニュース・報道を占めておりましたのは、他ならぬ天皇生前退位のニュースで、この後に控える東京都知事選挙の影が、すっかり薄くなってしまった感があります。

さて、日本は来月の15日に、71回目の終戦記念日を迎えますが、その終戦でヤルタ・ポツダム体制により「戦後民主主義」を得た日本では、多様な文化や道具、そして思想などがとにかく多量に生産され、人々がそれを受け入れるに当たっての選択眼が、個性と呼ばれる世界になりました。

趣味も嗜好も思想も主義もファッションも、そもそもの選択肢が少なければ、そこで自分ならではの個性を発揮しようと思っても、これはなかなか、そうは上手くはいきません。

筆者が生まれる前、世間で流行があれば、街を歩く女性は、必ず肩に「ダッコちゃん」をくくりつけて、ミニスカートというファッションだった時代がありました。老若男女全員が、暇さえあればフラフープを回していた時代もあります。

しかし、70年代のスペースインベーダーやルービックキューブ以降、国民全員で楽しめる趣味というのも根絶され、「同じファッションの中で個性を磨く」というレクリエーションも同時に喪失しました。

今は無数の選択肢があります。

逆を言えば今の時代は、その選択肢の複合が「人の個性」になってしまっています。

しかし、果たしてそれはイコールなのでしょうか。

例えば、日本のインターネットで、ソーシャルネットワークサービスのパイオニアとなったのは、まずは mixi であったわけですが、mixi には､いわゆるコミュニティといわれるシステムがあり､そのコミュニティは趣味や好きな芸能人や映画を題材にしたものから、自分の属性や性格を、コミュニティタイトルで的確に表現するタイプのものまで無数にあり、人は自らの志向でそれらに属し、人によってはコミュニティの数が、数百に及ぶ人も少なくありません。

そのタイトル一覧を眺めているだけで、なんとなく、それらをチョイスして並べたその人の、人となりがわかる、そんな時代もあり、それが mixi というソーシャルネットワークサービスの特色の一つでもありました。

一方で、ここ、シミルボンにも、その人を構成する 10 冊 TOP3 というカテゴリと､その人を構成する 10 冊 NEXT 7 という特徴があります。

特に、ここシミルボンは書評サイトでありますので、そのオプションは独特かつ、書評サイトという体裁にとってはとても効果的であり、かつ的確に、SNS 的な機能性と、そこでの各レビュワーの個性を端的に表現する、的確なシステムだと思ってはおります。

しかし、一方で私は、こうも思います。

人が、仮に mixi で 300 のコミュニティに属していたとして、シミルボンで自分を構成する 10 冊を選んでいたとして、もしくはインスタグラムのハッシュタグで「# 私を構成する 9 枚」の写真をアピールしたとして。

その 300 の組み合わせを、9 枚の写真を、10 冊の書籍を選ぶのは、確かに世界中でその人だけであるかもしれませんが、では逆に、その 300 のコミュニティや、9 枚の写真や 10 冊の書籍のタイトルの羅列だけから、その人の「本当の個性」をすべて把握できるでしょうか。

資本主義社会では、資本が主義であり、その主義の熟成は「消費するスタイルや消費の選択が、主義であり個性である」を生み出しました。

そして、戦後民主主義で一番大事だったと、私が思う点。

昭和の「ウルトラマン」（1966年）、「コメットさん」（1967年）、「おくさまは18歳」（1970年）で頂点をつかんだ脚本家、佐々木守氏が夢見た「『戦後民主主義』の、一番大事な核」としての概念。

> 日本の敗戦を体験した僕には、「戦後民主主義」は明確な手触りとして残っている。それは「個人が体制よりも、社会よりも組織よりも、すべてに優先して尊重される」という価値観であり、そんな行動のことであった。（佐々木氏・談）

その言葉が、資本サイドに都合の良いように摩り替えられたのが、日本の戦後の70年の歴史の一面だったと思うのです。

「個性が大事」を限りなく拡大解釈していくことで、資本や企業、代理店は「個性を保障する」ファッションやライフスタイルを提供していきましたが、その「イドの怪物」のような無限拡大は、倫理やルールを失い、協調と調和を無視することにすら価値を与え、違法薬物への抑制がスポイルされたり、軽微犯罪がライフスタイル化して、「自分ならでは」が無制限に暴走する流れを、生み出したのではないでしょうか。

市場や供給側、代理店や企業理念で作られた、流行やファッションは、個性と対極にある埋没を生み出すだけでしかないことを、誰もがわかっていながらも「これに乗り遅れると、自分は時代に取り残される」という強迫観念を植えつけることで、ローリスクハイリターンなビジネスビジョンを生み出すとともに、それが時の政府政策や官僚主導型国家体制と手を組めば、政治思想や民意のコントロールも可能になります。

近年、日本の福祉政策の、最後のセーフティネットである、生活保護が、国庫を圧迫し、不正受給がまかり通っているというメディアを通した印象操作で、国民感情が怒りをもたげ、しめしめとばかりに生活保護予算は削られてしまった経緯がありますが。

それははたして本当に、国民一人一人が「個」を発揮して選んだ選択の帰結なのでしょうか？

生活保護にかかる国家予算負担分は、現在4兆円弱ですが、これはGDPや総国家予算を分母にしたときには、全体のたった0.3％程度であるといわれています。

ちなみに、諸外国の生活保護予算の、GDP比率でみますと、アメリカは3.7%、イギリスは4.1%、ドイツ2.0%でフランスでも2.0%と、段違いであることがわかると思います。

それに並行して、生活保護の不正受給率は0.5%という統計が厚労省から出されています。

ここで冷静に考えてみればわかるはずです。

日本のGDPの、わずか0.3%を占める生活保護の予算枠を、わずか0.5%の不正受給だけをやり玉に挙げて、削減することは、果たして本当に「国民一人一人が、個性と個人の意思で選択した『個』の意思なのか？」という問いかけをも生み出します。

異論がある人もいるでしょう。「その統計を出すのであれば、GDP相手ではなく、年間国家総予算を分母にすべきだ」や（それでも生活保護の占める割合は2%前後です、東京五輪等の税金の無駄遣いを、1割削減すれば何も問題はない額です）、不正受給の被害を、%ではなく、額で出すべきだという意見は、国民が物事や社会を正しく選択していく上で、大事な情報開示であり、平等な権利であるはずです。

しかし一方で、社会世論や流行など、今の時代みんなが「自分の個の選択だ」と思っていることなど、メディアや権力やマスコミは、簡単に誘導できるというわけです。

mixi のコミュニティ、シミルボンの 10 冊、政治社会問題への意見。選択肢が無数にあると、そこで自分が無思慮にチョイスを繰り返すだけで、自分が自分ならではの個性豊かな生き方を体現できると、勘違いする人が後を絶たないのも、戦後民主主義と資本主義の、一つの結果でしょう。

もうすぐ東京都知事選挙。

そこでは選択肢は限られている、という見方もあれば、候補者の数だけ選択肢は溢れている、という見方もできるでしょう。

生き方は個性が大事でしょうが、政治は理念と実行力が重んじられます。そこでの選択は決して、気分で行なってはならないはずです。

与野党各政党は、その気分を手に入れようと、互いの敵へのネガティヴキャンペーンを必死におこなっていますが、そこで皆さんが、何を見てどこへ票を投じるのか。

そこでは決してファッションではなく、キャラクター設定としてのイデオロギーでもなく、あなたの真の「個」が、問われるのだと思います。

未来へのお土産

2016/07/08

私の古くからの友人に、某大手広告代理店の管理職の男がいるのですが、その彼と以前会食したときに、興味深いことを聞かされました。

彼が言うには、今の時代で食品商品展開や外食産業の新規発想の中に、定期的に必ず出てくるのが「昭和のあの時代の『学校給食』を」というコンセプトによる、商品や外食産業のビジョンであると。

確かにそれは、いかにもな郷愁も誘いますし、同窓生仲間や同世代仲間が集まれば、必ず「あったあった」と盛り上がる要素だけに、成功すればきっと新開拓ビジネスとして、成功することは間違いないのですが、いざ、実際にそれを実行した企業や起業家達の目論見は、毎回ことごとく外れ、想定していた成功実績を上げたビジネスモデルが、まだ皆無だというのです。

この、着想と着目点の確かさと、失敗の必然というメカニズムの真理は、私などにも容易に想像がつきます。

簡単なのです。

一口に「懐かしいあの給食」と言葉でくくっても、そこは十人十色。生まれ育った時代が数年違うだけで、また生まれ育った地域が県一つ違うだけで、そこで思い出される「懐かしの給食」のメニューや内容は、ことごとく違ってくるからで、万人が一致する「正解」をそこで改めて一律のメニューとして送り出すことは、論理上不可能であるからであります。

特に私個人の経験で言わせてもらえば。

私は昭和 40 年代後半を、東京都の港区の小学校で過ごし、その後しばらくの間、隣区である世田谷区の中学校に通っていた時期がありました。両方とも区立の公立校でありましたが、そこでは給食に対しての両区のスタンスが明確に違っていることを、身をもって体感しました。

当時の港区の給食スタイルのスタンダードは、アルミトレイに割き割スプーン。そして主食は必ず食パンで、主食に変化があってもせいぜい、揚げパンかソフト麺だったのですが、世田谷区は、そもそも中流家庭以上が住み着くベッドタウン区であったからか、主食も、当時としてはまだまだ珍しかった白米が多く、メニューや食器もバラエティに富んでおり、毎回趣向が凝らされており、給食という要素にかけるウエイトの、港区との違いをまざまざと思わせられました。

こと、給食一つをとっても、同じ時代、東京都内の隣り合わせの区だけでも これだけの違いがあるのですから、全国47都道府県における、数十年単位の給食形態の推移を考えれば、そこでの「思い出の味」の数は、莫大な種類を生んでいるのだと思います。

また、私は東京生まれ育ちではありますが、地方の人が、昭和東京の駄菓子食文化に対して、偏見に近い形で思い込んでいる「東京の、昔の子どもは皆、もんじゃ焼きを食べていた」という経験も、私には実はありません。

もちろん、駄菓子屋へはよく通ったのですが、青山や世田谷、目黒の駄菓子屋は、浅草や葛飾の駄菓子屋とは基本コンセプトが異なり、店内で、四畳半をお客の子どもに開放して、そこで何かを作って食べさせるという、そういったシステムは、まったく備えていなかったので、もんじゃ焼きとも縁がなかったのです。

私たちの世代は、高度経済成長期以降のマーケティングにおいて、常に主役の座に座り続けてきました。

私たちの子どもの頃は、日本の子どもテレビ番組文化史上、最も多くの子ども向け番組が、放映されていた時代でもあります。

ウルトラマンシリーズ、仮面ライダーシリーズなどの、男子向けヒーロー番組や、魔法少女物などの、女子向けテレビ漫画をはじめ、「ロンパールーム」（1963年～1979年）、や「おはようこどもショー」（1965年～1980年）等の子ども向け総合バラエティ番組等々、当時のテレビ文化は、子ども向けを中心に回っていたと言っても過言ではありません。

その、私たちが思春期を迎える頃は、おにゃん子クラブやたのきんトリオに代表される、アイドルブームが巻き起こった時期でもあります。

それまでの、山口百恵やピンクレディーなどの、単発的なアイドル社会現象と違い、明確に、事務所やバックアップが戦略を練って確信的に送り出したアイドルが、群雄割拠してテレビ画面の中で競い合った「等身大アイドル」初の時代でした。

私自身は、テレビアイドルにはまり込んだ記憶はないのですが、周囲の思春期の男子や女子が、こぞって松田聖子や中森明菜、近藤正彦らアイドルに 熱をあげていた時代を思い出させてくれます。

そしてまた、私たちが思春期を終えて社会に出た頃に、テレビドラマ界を席巻した、いわゆる「トレンディドラマ」ブーム。

社会に出た大人でありながら、思春期の心を忘れない恋愛模様を描いたそれらは、当時の社会現象へと発展しました。

そして10年ほど前に、私たちは40代に到達しているのでありますが、そこでもまた、「アラフォー」という流行語や現象があった上で、さらに私自身が50歳に近くなってきた最近になって「アラフィフ」等というカテゴリが出てきたことを見るに、かように、私たち世代は常に消費社会のメインマーケットとして、ターゲットにされてきた世代なのです。

しかし、その社会流行の推移は、他の世代からしたらどう見えるのでしょう。

同じ「子ども時代」を過ごしたとしても、私たちの時代と現代では、テレビで親しむ子ども向け番組の選択肢の、絶対数からして桁が違います。

そうなると、そこへ介入するのは親の影響なのです。

私が、「光の国から愛をこめて」という、ウルトラマンシリーズの評論ブログを執筆・運営していた頃、多くの「ウルトラパパ・ウルトラママ」と出会いました。

大人になってもウルトラマンシリーズが忘れられず、そのまま親になり、自分の子どもに率先して、レンタルソフトやCS放送等を利用して、往年のウルトラマンシリーズを見せて、グッズなどを買ってあげて、親子でウルトラマンファンとしての日常を、楽しんでいる家族です。

それはとても微笑ましい光景であり、家族の教育・娯楽方針は家族単位で正解があり、余人が口を挟むものではないのですが、ある日私はフッと疑問に思いました。

その親の子どもたちは、もちろん社会のシステムや構造などを知りませんから、親から見せてもらえるウルトラマンシリーズを、リアルタイムの娯楽として捕らえます。

親がレンタルソフトで借りてきた、43年前の「ウルトラマンタロウ」(1973年)も現在テレビで放映中の「アンパンマン」も、同じ「昨日、テレビでみた今の作品」なのです。

しかしそこで、現在進行形で放映されている作品以外の「過去の作品」は、何を観るのか、親が何を観せるのかは、家庭単位で違ってきてしまうのです。

そうすると、幼稚園や学校では、自分が観ている作品を、友だちや周りは観ていないという現象が、当たり前に起きてしまいます。

家の中でだけは当たり前に存在している「楽しく好きな作品」が、一歩家の外を出ると、周りは誰も知らなかったりしますし、また、友だちがおもしろい、好きだと言っている作品を、自分は観ることもできないという、そういうすれ違いが、普通に起きているのが、今の子ども社会の現実なのです。

そうすると、おそらく数十年後。

今の子どもたちが大人になったとき「子どもの頃に思い入れのある、懐かしいあの番組」というテーマで、話し合ったり酒を酌み交わしたりする時に、そうそう、おいそれと、思い出が一致することは、なくなってしまうのです。

それはまるで、今回の冒頭で記したような「一口で『懐かしい給食』とくくっても、そこでの思い出は、地方・年代によって無数に細分化されている」と同じで、それらを共有できる相手を探す方が、難しくなってくるのではないでしょうか。

私たちの世代は、ことテレビやブームでいえば、多少の年齢の違いを超えて、生まれ育った地方・地域を越えて、思い出や思い入れの共有要素が、本当に無数にあります。

上記したテレビ番組だけではなく、ユリ・ゲラー超能力ブームやUFOブーム、ノストラダムスの大予言ブームや、ルービックキューブやスーパーカーブーム、スペース・インベーダーブーム等、社会現象化したブームはいくらでもありますし、それは、私たちの前の世代などを見渡しても、東京オリンピックや皇太子成婚、プロレスブームやプロ野球巨人黄金時代、ダッコちゃんブームやフラフープブーム等、老若男女を問わずに国民が皆酔いしれ、思い出を共有した経験を、多々持ち合わせているのであります。

それはもちろん功罪あるでしょう。

80年代以降、どんどん細分化していったサブカルチャーが、そのチョイスの種類と数によって、「個」を表現するようになったように、それと平行して進んだ少子化と、娯楽ソフトの叛乱は、家庭単位・個人単位で、思い思いに「楽しさ」を自由に選べる時代を生みました。

しかし、逆にそれは「懐かしさ」や「子どもの頃の楽しさの思い出」が、個人単位で、スタンドアローン化してしまう時代であるとも言えるのです。

人間の「過去」は「記憶」の中にしかなく、「未来」は「想像」の中にしかないというのは、私が常々主張していることですが、その「自分の記憶の中にしかない過去」を、自分ではない他の誰かと共有し、繋ぎ合わせることができるかどうかは、人が人の社会で生きていくためには、必須の要素であります。

そこで、他者の記憶とすり合わせることで、初めて「個人の記憶」は、普遍性を持つ「過去」になるのだと思うのです。

それぞれの「共通するテーマの記憶」を、持ち寄ることで相互補完が成され、人はそこで、改めて自分の「大切な思い出」を、「揺るがない、実際にあった過去」へと昇華させられるのです。

現代において、親の趣味嗜好だけでウルトラマンを見せられた子どもは、数十年経って、大人になったときに、その思い出を誰と語り合うのでしょうか。

それはまだ、ウルトラマンのようなビッグヒットコンテンツであれば、同じような経験をした同士を探すことも可能かもしれませんが、趣味嗜好が細分化され尽くした現代では、同じ思い出を共有できる「誰か」と、遠い未来に巡り会える保障はありません。

私たちは、かつて子ども時代に、本当に多くの「未来に出会う、見知らぬ誰かと 共有できる思い出」を、たくさん持たされて時代を過ごしました。

それはきっと、幼い私たちに託された「未来へのお土産」だったのかもしれません。

ひょっとすると、将来の大人たちのコミュニケーションには「同じ時代に生まれ生きた者同士ならではの共感」を必要としない、新たな絆の形が、そこに生み出されているのかもしれませんが、それは、今現在を生きるしかない私たちには、まだ想像すらできません。

同じ時代を、違う場所で生きた者同士で、初対面でも共有できる思い出があった時代。

未来の人たちは「『昭和』とは、そういう時代であったのだ」と、歴史の目録に、そう記すのかもしれません。

縦軸と横軸のコモンセンス

2017/11/14

先日、とある漫画家さんとライターさんと３人で、荻窪で少し早い忘年会をやったのですが、その時に「静岡おでん」というものを初めて知りまして。食べてみたらこれがまた、すこぶるおいしいのですよね。

牛筋ベースの出汁で、串に刺したおでんの具に、たぶん出汁粉かなにかなんでしょうが､それをふりかけて食べる。これが本当においしくて、病みつきになりそうになりながら、少し考えたことがありました。

そもそも、おでんとは日本中、地方によって違ったものではなかっただろうかと。

以前仕事で博多へ行ったときも、天神の屋台のおでんは東京のそれと違って、屋台では酒は出していなくて（自前の缶ビール等の持ち込みはよいんだそうで）独特のおいしさでした。

思えば関西でも「おでん」といえば本来、味噌田楽のことを指していた時代がありまして、今でもところによってはおでんといえば味噌田楽が出てくるお店や地方もあるそうです。

そもそも、その関西では、いわゆる私たちがおでんと呼んでいる食べ物は「関東炊き」と呼ばれていました。

それらをコンビニと、コンビニのおでんという全国統一規格商品が画一化させたのです。

その、コンビニの「おでん概念全国統一」は功罪ありますが、その横軸（地域的広がり）を縦軸（時間的広がり）に変えたのが、本や漫画、映画やドラマといった文化における、古い作品群の、電子書籍や DVD 等の氾濫です。それも私のようなカビの生えた好事家から言わせると、往年の名作漫画や、懐かしいドラマ等が、お金さえ出せば簡単に手に入り、いつでも堪能できる時代になったこと自体は悪い事ではないとは思うのですが。

若い人に理解しづらいかもしれないのですが、現代において「電子書籍化される、復刊される」や「DVD 化される」こと、つまりバリューを与えられることと、その作品の発表時代に、今復刻されているそれらの作品に人気や価値があったかどうかとは別問題なのですね。

例えば、藤子不二雄先生の『海の王子』（1959 年）は、藤子ファンであれば誰もが知っている名作漫画ですが、電子書籍化されていない。往年の名脚本家・佐々木守氏による伝説の名作ドラマの『お荷物小荷物』（1970 年）も DVD 化されていない。

つまり、現代で商品化されていないことは、決して駄作であったから、当時ヒットしなかったから、というわけではなく、あくまで現代で版権やマネタイズの部分で復刻に至っていないだけであって、逆を言えば、現代で復刻されている昭和の漫画やドラマで、未復刻の作品よりもレベルの低い作品のソフト化や復刻はいくらでもあるわけです。

そうなると、「現代で簡単に鑑賞できる作品＝昔の傑作」という図式は100％では成立しませんわけで、「駄作なのにソフト化されている」「傑作なのに今では鑑賞する手段がない」作品は、それぞれ玉石混合で乱立しているわけで、一概に現代で鑑賞できる物を網羅すれば、そのカルチャーの歴史を全て自分のものにできるわけではない、という因数分解が成り立ちます。

現代は情報化社会と言われて久しいです。私の世代がオタクになろうとすれば、漫画やアニメや特撮は生まれる10年前まで、映画も40年も遡ればコンプリートできました。しかし今の20代や10代のオタクが、歴史を全て学ぼうと思えば、それらのジャンルの全てを、70年分以上の膨大な作品を体感しなければならない。それは無理です。

無理だから、人はズルい生き物だから、便利な方法を模索します。ショートカットをしようとします。その結果「今電子書籍化されている漫画や、今DVDで見られる映像作品を観ていけば“時代”は手に入れられる」と錯覚してしまいます。それは「知識」としては有効ですが、「コモンセンス」にはなれない。埋もれた作品も時代の空気も、コモンセンスには必須なのです。

今、私は「常識」と書かずに「コモンセンス」と書きました。

ご存知のとおり、一般的には英訳では、common senseは「常識」と訳されることが多いです。

しかし、アメリカの哲学者、Thomas Paineは、その著書『Common Sense』執筆において、イギリスの植民地であった当時のアメリカを独立させるためには、現状の自分たちの国の状態に対する、一般民衆の教養や社会基礎知識の底上げ、それこそが大前提で必要であると論じ、最終的にはそれがアメリカ独立に大きな貢献をすることになりました。

コモンセンスという言葉を「常識」と訳すのは便利で簡単なのですが、ここでは私は二つの側面を考えてみたいと思います。それは、重要な一つは縦軸の「歴史」で、もう一つの重要な要素は横軸の「社会性」で、この双方の一般常識がちゃんと機能しあうことで、初めて生まれるのがコモンセンスなのです。

私はオタクなので、オタクっぽい実例をあげてみましょう。

今、私は休載中ですが、ここシミルボンで「『機動戦士ガンダム』（1979年）を読む！」という連載を今現在も執筆中です。

そこで登場する主人公ロボットのガンダムは、皆さんご存じのように、手足と顔は白いですが、身体は青・赤・黄で彩られた、戦争の兵器としては大変派手なカラーリングをしています。

しかし、実は「機動戦士ガンダム」（1979年）発表当時は、ガンダムはとても地味な、白いロボットだと言われ、作中でも盛んに敵から（敵はガンダムというロボットの名前を知らない）「連邦の白いやつ」などと呼ばれておりました。

「ガンダム」に限らず、1979年には1979年の、1990年には1990年の、時代の空気、社会背景、コモンセンスレベル、流行などがあって、それらを“読む”勉強をしないと、スタンド・アローンで作品は語れません。

ではガンダムは、青・赤・黄を派手に使っているのに、なぜ「白いロボット」と呼ばれたのか。

それは、その直前期の、「ブロッカー軍団Ⅳマシーンブラスター」（1977

年）ですとか、「超合体魔術ロボ ギンガイザー」（1977年）、「UFO戦士ダイアポロン」（1976年）とかの、見ているだけで眩暈がするような、過剰配色の、しかし没個性のロボットまんがの主役ロボットたちに、子どもやロボット漫画好きが、慣らされていたからだという前提を、当時の時代を体感していれば普通にわかることで成り立っているからです。

こういう「背景を知らないと認知できない」出来事や要素は社会や人生には多い。

では「体感していなかった時代を読み取る」「後の時代になってから、流れを源流から汲む」コモンセンスは、どうすれば手に入るのか。

答えは申し訳ないですが、「ない」、これだけです。

例えば何かのサブカルチャーに傾倒したとして、自分がリアルタイムで体験できていなかった時代のムーブメントや社会現象を読み取ろうとして、膨大な、経済白書や近代史書や、古新聞の山にうずもれて猛勉強しても、「時代の空気」までを自分の人生の10年以上前まで遡って「読む」ことはできません。こればかりは、諦めてもらうしかないのが現実です。

なぜなら、古新聞や歴史学書から社会を把握して、そこから文化の流れや評価へ至ろうとしても、それは「考古学」ではなく、「民俗学」になってしまう可能性の方が高いからです。

そこまで人は便利に「主観」を捨てられない。

そのために「学問」はあります。クラシック音楽や芸術絵画の世界が、正しく数百年前の現象や文化の発祥を受け継げるのは、アカデミズムで系統だてて、積み重ねてきた学問の歴史というものがあるからです。

それとて、ある日突然、恐竜の肌の色が変わってしまうように、新発見一つで覆される歴史の流れに、翻弄されるのもアカデミズムですし、それらの交錯の中で、時代と親和性を持った人々が、自分の時代とコミットすることで得られるものがコモンセンスなのです。

Thomas Paine は、『Common Sense』で別に、誰もが当たり前に思う常識論を語ったわけではありませんでした。

あの時代、イギリスの植民地のアメリカ国民であれば、誰もが感じるべきであろう、むしろ深層心理下で既に感じているはずの「支配者・イギリス」の、貴族政への批判、自由貿易という既存の発想を改めて取り込むだけで、イギリス搾取経済からの脱却が可能であるという、いわば「誰もが感じていながら、ロジカルに結びつきあわなかったもやもや感」を、明文化してみせて、それを新たな知識体系・思想として打ち出しました。

彼の著書が啓蒙したのは「無知で無教養な国民をロジックで洗脳する」のではなく、その時間（『Common Sense』発刊当時）、その空間（アメリカ国内）にいる人たちであれば、誰もが無言で共有しあっていた価値観や対社会観、時代性、バックボーンなどに「裏づけを与える啓蒙」であったのです。

しかし、この裏づけは、基礎教養や知能は関係なく、「その時代、その社会で生きている人」が大前提になります。

2017 年の現代から、20 年もしないうちに、おそらく地方単位の「おらが故郷のおでん」は絶滅し、日本全国「コンビニのおでん」がオンリーワンの存在になり、その後に生まれた人たちは「かつて日本では、地方ごとにおでんが異なった食文化を持っていたこと」を想像もできないまま生きていくでしょう。

その頃までに復刻されない漫画や小説、ソフト化されない古いテレビドラマや映画は、存在がない物という前提で、ドラマ史や映画史が似非アカデミズムで構築されていくでしょう。

『ゲゲゲの鬼太郎』といえば、日本を代表する妖怪漫画で、その作者は水木しげる氏であることは国民みんなが知るところですが、かつて『墓場の鬼太郎』が紙芝居などで、今で言うフリー版権のような素材であった時代、「鬼太郎」を描いていた漫画家が全部で３人いたことは、当時を知っている人にはコモンセンスなのですが、今の時代、それはまるで、タブーのような扱いを受けています。

かようにコモンセンスとは、「歴史の中のその瞬間」という縦軸要素と「その社会コロニーの一員である」という横軸要素がなければ共有できない、特殊な「一般常識」なのです。

ただ、では、後から生まれてきた人は、先人のコモンセンスに完全な形で追いつくことは不可能であるとは言いましたが、それがすなわち「遅れて生まれてきた人のコモンセンスは、先に生まれた人のそれと比較して劣っているのか」と問われれば、あながちそうであるというわけでもありません。

例えばもう一度、現代日本のサブカルチャークラスタのコモンセンスに話を移せば、90 年代生まれは 90 年代生まれなりの、21 世紀生まれは 21 世紀生まれなりのコモンセンスがあるはずで、それは私たちが死んだ後にも有効なのです。

ただ、騙されないでいただきたいのは、あなたたちのコモンセンスの、時代性の欠落を狡猾に利用して、あなたたちが知らない時代、古い時代の文化や表現を模倣するだけで、それが、若い人たち、古い時代へのコモンセンスを持ち合わせていない人たちに対して、まるでパイオニアのように、新たな表現のように思わせるような「山師」が、私たちや私たち以上の年齢の表現者の中にも紛れ込んでいることです。

端的に申しあげるのであれば、サブカルチャー作品に込められたオマージュやパスティーシュを理解し楽しむには、一定以上のコモンセンスが必要になってくるのだということを、騙されたくなければ知るべきですし、己のコモンセンスの低さを、コンプレックスではなく受け入れて前に進んでほしいと、これは年寄りに近くなった私からの願いでもあります。

映画で例を挙げるのであれば、黒澤明の「天国と地獄」(1963 年)や「羊たちの沈黙」(1991 年)を観ずして、「踊る大捜査線 THE MOVIE」(1998 年)の「クライマックスのモノクロと紅」や「小泉今日子のキャラ」を称賛するような、コモンセンスのない受け手にならないために、最低限の基礎教養は身につけてほしいと思います。

ここまで書いてきた問題提起は、文化の問題だけでなく、近代史、政治思想にも言えて。

例えば戦後も 70 年を超えて、戦争の悲劇を語り継いできてくださっていた戦争体験者の皆さんが絶滅しかけている中で、「実はあの戦争は、日本は正しかった」と、アプレゲールの山師が web やマスコミなど、さまざまな足場で策を仕掛けてきています。

そうなると、実はそうだったよねと、むしろ、そうであってほしいと願う「当時を知らない若いナショナリスト」たちが同調する流れが起きます。そういう社会になっていく中で、自分たちが損をしたくなければ、コモンセンスを磨きましょうね、という話です。

第四章
人と人の縁のゆくえ

寂しさの餓鬼　2016/07/08

私は数年前に、刑事事件に至ったストーカー被害にあった経験があります。

当時、私には、かの人に対して恋愛感情は一切なく、また、それを匂わしたり言質をとられるような発言も、一切しておりませんでした。

だけれども、その人は「境界性人格障害」という人格障害と「統合失調症」というメンタルヘルスの病気を持った人であり、その人の中で勝手に妄想が執念を呼び、執念が逆恨みを生み、その行為はどんどんエスカレートしていきました。

明け方５時、始発と同時にドアベルが物凄い勢いで鳴らされ続け、4時間続いて､ついにドアフォンの電池が切れてしまったこともあります。

深夜にいきなり、ドアをガンガン蹴られたこともありますし、朝、手紙を確認しに集合ポストへ出向くと、ポストが私の部屋用の部分だけ破壊されて、中の郵便物が奪われていたこともありました。

また、ネット上で、かの人による誹謗中傷を受けたことも、無数にあります。

私は証拠を揃えて所轄警察の生活安全課へ何度も出向き、状況と経緯をしっかりと説明し、そこで手順を追って手続きを踏むことで、無事被害届けと刑事訴訟手続き提出することができ、そしてそれは、相手方の所轄警察の署長レベルの警告という形を伴って、いちおう（ここでは書けませんが、相応の措置を経て）ここ数年は状況はおとなしくなっております。

が、相手は、常識も法律も通用しない「無敵の厄介さん」なのですから、こちらとしては、おちおち安心して眠れもしないというのは、まだまだ払拭できずにおります。

大の男が、情けないとは言われましょう。

実際警察でも、担当の刑事氏に「本来ストーカー規正法というのは、か弱い女性を、屈強な男性のストーキングから守るために制定された法律なのだけど、あなたはどう見ても屈強な男性なのに、どうしてそういうことになるのですかねぇ」と、半ば呆れられて言われたものです。

もちろん、その真逆性を構成する要素のほとんどは「その女性が、人格障害や心の病気によって、自分自身も、自分と他者との境界線も、管理把握できない、ネジの曲がった厄介さんであった」ことに集約されるのですが、今こうして、ストーカー被害が蔓延している、私たちの社会を見るにつけ、改めて思うのはやはり「人と人が繋がるのには、大事な順序と手順があるのではないか」なのです。

ストーカー事案について、過去にニュースで報道されているケースは、何もネットに限った話ではありませんが、私たちはネットを手に入れることで、莫大な「出会い」の数と拡がりを手に入れました。

しかし、それは決して、人という生き物の「コミュニケーション・キャパ」を、格段に進化させたわけではありません。

そもそも動物であり生きものである人は、それが生身の動物である以上、まずは「目」で他者を認識し、「声」で交流をはじめて相手を受け入れ、場合によっては「文字」で連絡を取るという順番が、まっとうだし普通であると思いますが、ネットという道具は、そこで人が知り合い、繋がる順序においては、まったくそれとは逆にプロセスを辿らせる機能なのです。
それが人へと、どう影響を与えるのかに関しては、これは私には語るだけの知識や勉強はないのではありますが、一つにはネットという道具というものは、人が、そもそも兼ね備えていた「人を洞察・観察する力」を、鈍らせ、狂わせてしまう効果があるというのは、生理の問題としていえるのではないかと、私などは思うのであります。

そして、「戦後民主主義」のあり方が、断絶したコミュニケーション状態のまま、己のエゴや欲だけを正当化する、歪んだ現実認識を植えつけてしまったのではないかと、そう考える部分も、少なくありません。

90 年代、バブル崩壊直後に広告代理店が、そこへのカンフル剤としてCM に使用して、リバイバルで流行らせた昔の歌謡曲に「明日があるさ」というのがありました。

そもそもの、「明日があるさ」は決して「前向きな主人公を描いたポジティブソング」などではありませんでした。
2000 年にウルフルズが歌ったバージョンは、マイペースで自信家で、何があっても動じない素晴らしい生き方を称えた、前向き無思考ワカモノ向けソングに成り下がっていました。しかし、原曲の青島幸男・中村八大・坂本九バージョンでの歌詞は、今でいうストーカーギリギリ（というかギリギリストーカーになってる）を主人公にした、悲しき孤独の歌でありました。

青島原詞では、主人公の青年はまるで、「帰ってきたウルトラマン」(1971 年) で市川森一氏が脚本を書いた「この一発で地獄へ行け！」の主人公・三郎と同じく、「いつもの駅でいつも会う」名も知らぬ、会話も交わしたことがない女性に対して、恋焦がれて、思い悩む内気な性格として登場します。

待ち伏せして待ちぼうけをくらったり、雨の中で傘を貸そうとして貸せなかったり、声をかけようとして勇気が出ずに、明日送りにしてしまったり、延々とそんな描写が繰り返し歌われるだけでありまして、その代償としてサビの部分だけ「明日があるさ　明日がある　若い僕には夢がある いつかきっと　いつかきっと　叶えてくれるだろう」と歌うだけであります。

そう、つまりこの原詞は、決してポジティヴな青年のポジティヴな生き様など、微塵も描いていないのであります。

「明日があるさ　明日がある」というフレーズは、勇気もなく、些細な行動力すらなく、努力で突破することすらままならない、気弱な一つに魂が、自らに言い聞かせている「孤独の底に落ちないための呪文」に過ぎません。

能天気に「明日があるさ」とでも、自分に自己暗示をかけでもしなければ、やりきれないほどの、絶望感と不安と孤独がそこには描かれているのであります。

現代でいう草食系男子は、決して現代社会の突然変異ではないのだと、私は思います。

イケイケポジティヴ主義が全盛絶対正義だった60年代においても、この歌の主人公のような弱さと後ろ向きさに対して、共感して、理解する人たちが、80万人もいたという事実がそれを物語っています。

この曲で歌われたように、恋愛という、己の人生と存在がすべて懸かった一大事において、その先の失敗と、それがもたらす挫折と孤独を想起した時、それへの引き金を結果的に引いてしまうようになるくらいなら、「しかし逆に、想いが成就するかもしれない、むしろ引かなければ決して成就しない引き金」へかけていたはずの指を離してしまい、そこでの己の勇気のなさと自己嫌悪を「でも明日があるから」で、自己完結させてしまおうと思う弱さは、決して悪ではありません。

しかし、そこで例えば市川森一氏が、前述した話や「傷だらけの天使」（1974 年）や「ウルトラマン A」「3 億年超獣出現」(1972 年）で書いたように、いつでも「人が追い求める幻想は、必ずしも相手が共有してくれるとは限らない」これは揺るがない現実でありまして、だからこそ、そこで「お互いが持ち寄った幻想」を、すり合わせて確認し、コラボレートするために、そこで丹念な「確認作業としてのコミュニケーション」が不可欠であろうと思うのは、これは中年ゆえの頑固さでしょうか。

戦後民主主義は、その主旨と根幹は素晴らしいものをもっていたにもかかわらず、現場主導型の実際の現場では「あなたたちはオンリーワンの存在なんです」を連呼するだけで、その「オンリーワン」同士が、実際にどう、先鋭化した「個」を向き合わせて、人生や友情や恋愛を、現実的にコラボレートしていくのかに対して、致命的なまま放置をしてしまい、そのまま社会へと送り出してしまいました。

寂しいのは誰もが一緒であるように、まさにそこでは市川森一氏のドラマタイトル「淋しいのはお前だけじゃない」（1982 年）という言葉が思い起こされますが、私はよくそこで「寂しさの餓鬼」という言葉を用います。

餓鬼とはもちろん、三途の川で死者の身体を貪り食らう妖怪のことでありますが、餓鬼は、中世日本で日常化していた「口減らし」のために殺された、子どもの化身とも言われています。

その餓鬼たちは、空腹のまま殺されて三途の川へやってきたものだから、死者の肉体をいくら貪り食っても、お腹が一杯になることはありません。

食べても食べても、食べれば食べるほど、飢えに苦しみあがき、醜く暴れまわる存在なのです。

今の社会で、優しさに飢え、寂しさに耐えかねて、それを「だって寂しいんだもん」で自己正当化してしまった「優しさの餓鬼」たちは、社会で人と向き合い、つながれる術を教わらないまま、ネットという道具で、歪んだ人との繋がる順序しか知らないまま、ただひたすらに、次から次へと人と知り合っては「この人じゃない」「それでもまだ寂しい」を繰り返すのです。

その果てに「この人だ」と決めてしまえば、そこで相手の合意を得ることなく、相手と「生きる形」を刷り合わせることなど絶対に起きないまま、ただひたすらに、その相手を「自分なりのやり方」で追いかけ、愛と憎しみの区別も四散した状態で暴走し、相手を食らい尽くそうとするのです。

そこには、求めていた「寂しさを癒してくれる優しさ」は手に入りません。「明日があるさ」といくら自分をごまかしても、求めている明日はやってきません。

ただただ、そこで当然の帰結として、ストーキング行為が失敗するたびに「今回は（間違っている）努力が足りなかった」「今回は上手くいかなかった」と、寓話の『北風と太陽』の北風のように『三匹の子豚』の狼のように、さらに心を頑なに、意固地にさせたあげく、それでも自分が正当化できなければ、突然手のひらを返したように「あんな相手、どうせどうしようもない奴だったのさ」と、今度は同じ寓話の『酸っぱい葡萄』の狼のように、捨て台詞をはくだけなのでしょう。

戦後民主主義教育が「個人の独立性」を歪ませて刷り込んだ中で、インターネットという、人の生理に逆行した「人との繋がり方」を生む道具を与えられ、そこで生み出された、モンスターのような「優しさの餓鬼」たちは皆、ストーカーに己が堕ちていることなど自覚もせずに、何が起きても、起こしても「明日があるさ」を魔法の呪文にして闊歩します。

私自身は、この状況と環境のスパイラルに対して、どう対応すればよいかを、これだという思いつきで提案することはできないでいます。

それは、個人ではなくまず社会ありきのしステム論で作られたこの日本社会では、個人のできることや、やれることの幅と範囲が、限られているからであります。

だからせめて、私は私個人の周囲にいる子どもたちに対しては、「人と人とは『文字より声』『声より姿』『姿より体温』で、繋がりを深めていくものなのだ」と、伝えていきたいですし、せめて、自分と繋がってくれている周囲や人々に対しては、自分は「優しさの餓鬼」になることはなく、その時間をしっかりと抱きしめて、歩いていきたいと、思っております。

誰がその記号を並べたのか

2016/07/13

現代のJ-POPと呼ばれる歌の歌詞は、どれもこれも似通っているという説（というか問題）が、昨今取りざたされているようであります。

例えばそれは「瞳を閉じて」や「翼を広げて」といったフレーズであったりするらしいのですが、それはおそらく、その語句を使う個々のアーティストのファンにしてみれば、オンリーワンの歌詞であり、他で似かよっている歌詞があっても問答無用という気持ちに、なるのではないでしょうか。

私は、文字というものは記号であると思っています。

日本語は表意文字。英語は表音文字。

それらは記号でしかなく、文章や熟語も、基本的には記号の羅列でしかないと思っています。

人は、寝転びながらでも、飯を食いながらでも、「愛している」とでも「死ね、このやろう」とでも、キーボードや携帯に打ち込める生きものであることを忘れてはなりません。

文字は記号の羅列でしかなく、文章は文字の配列でしかありません。

これを忘れないでいるということは、人にとって、とても大事な生理の問題なのです。

テレビ界きっての一流脚本家に市川森一氏がいました。

「快獣ブースカ」（1966 年）でデビューし、「コメットさん」「ウルトラセブン」（共に 1967 年）等の子ども番組を経て、「傷だらけの天使」（1974 年）、「黄金の日々」（1978 年）などで活躍した作家です。

市川氏は、幼い頃に両親を亡くし、親族の家で鬼子のようにイジメられ育てられ、その中で、キリスト教へ傾倒していく人生を辿りました。

その彼は 70 年代初頭に「僕はもう、子ども向けヒーロー番組で、『お前を許さない』というヒーローの台詞が書けないんだ」と言い残し、子ども向け番組の世界を去りました。

彼は最後にこう言い残しました。

「愛と平和を守るために戦うというのは矛盾しているんですよね。愛と平和を守るためには、許すしかないんです」

それは、彼自身がキリスト者であるゆえでもあるでしょうし、彼自身の幼い頃からの「周囲を、自分を、試し、許さねば生きられなかった」人生の表れとして深く心に刻み込まれるメッセージとして、今も私の心に根づいています。

一方、市川森一氏と「ウルトラセブン」で共に机を並べ仕事をした、子ども番組の巨星作家に、上原正三氏がおります。

上原氏はまだ当時は外国だった、沖縄出身であり、戦争中は親子して死ぬ思いで本土へ辿り着き、数え切れない差別や排除の中を生き、「負けない心。自分を鼓舞させるための『許さない心』」で生き抜いてきました。

その彼は、「がんばれ！ロボコン」「秘密戦隊ゴレンジャー」（共に1974年）など、子ども番組の世界の中だけで、ずっとこの、異国の本土の中で作家として生き抜いているのです。

そして彼の基本スタンスは「正義とか悪とか関係なく、自分は何を許せないのか。何を守りたいのかを、自分で探し出して戦うこと」でありました。

もちろん、市川氏と上原氏は後年まで盟友であり続け、どちらの作家スタンスやポリシーが正しいかなどとは、すり合わせたり、戦ったりはしませんでした。

そこでは、二人はまったく違うスタンスと主張で、子ども向け番組と向き合いましたが、私はその二つを受け入れるとき、そこに矛盾を感じません。

もちろん、言葉としてただ単に、そこから記号を抽出したときには、「『許せない』という言葉が受け入れられない」「『許せない』という言葉が大事な人生の鍵になる」と、真正面から真反対の主張の対立がそこにみられるのですが、実はそれは、お互いのバックボーンが理解できさえすれば、「作品を受け取る子どもたちに対して、常に本気であれ」という部分においては、なんら矛盾はしていないからです。

たまたま、双方のバックボーンや生き様、ポリシーなどが、そこでの筆の進ませ方を、違わせてしまったというだけの問題に過ぎません。

それこそ、例えば特定の音楽や小説、映画などの批評があったときに、「この作品は素晴らしい」「この作品はダメだ」といった意見があったとして、その意見が価値を持つのかどうか、読んだ人に価値を与えるかどうかで大事なことは「どんな文字が配列されていたのか」ではなくて「どんな、誰がその文字を配列したのか」ではないでしょうか。

その「この作品は素晴らしい」「この作品はダメだ」であっても、それが「自らも作品を発表しているクリエイター」なのか「無名の一般人」なのかで、そこでその、批評の価値はまったく変わってくるとは思いますし、また、それが批評家の言葉であるのであれば、読む人単位で、その人の批評を、過去に遡って信頼できているのかどうかで、新たな批評がもらたす意味が、個々に違ってくるのは自明の理であります。

文字や記号の羅列は、誤解を恐れない言い方をするのであれば「並べるだけなら誰でも並べられる」のです。

もちろんそこには語彙やセンス、文才等、多数の不確定要素はあるとは思いますが、ただ「瞳を閉じて」という言葉だけであれば、誰が書いても書けるわけです。

私は、文章で大事なのは、「何が書かれてあるか」と同等かそれ以上に「誰が書いたものであるか」であると思います。

例えばそこで、携帯メールであなたに突然、「あなたが好きです」と送られてきたとします。

俗には「好きと言われて嫌な気持ちはしない」とは言われるものでは

ありますが、それがまったく見知らぬ人、自分が生理的に受けつけない人からのラブコールであっても、果たして「嫌な気持ちがしない」と、本当に言い切れるでしょうか。

人というものは、見知らぬ人から、突然それを送られれば、戸惑い、気持ち悪がり、嫌悪する一方で、自分が愛している人や、一方的にでも好きな人から送られてくれば、本当に幸せな気持ちになれる、そういうものではないでしょうか。

それが「情報」であったとしても同じことがいえます。

よく、匿名掲示板の有効性を擁護する論調として「まぁあそこは、情報の速さで有効活用はできるよね」と、よく聞きますが、果たしてそうでしょうか。

その情報は、発信者は明記されておらず、虚偽の判断もつかないのです。そこの真偽を見分ける術こそが、匿名掲示板を使いこなすスキルと言われていますが、そんなのは詭弁だと、言わざるを得ません。

なぜならそこでのスキルは「どんな人がその情報を発信したのか」への、洞察へ向けられているからであり、それは発信者を特定しようとする行為と同等で、ならば、発信者特定が行なわれているほうが、よりスムーズに情報交換が行なわれるからです。

「匿名掲示板は、匿名だからこそ、本音で話せるからいいよね」

この意見もよく聞く意見でありますが、それはおそらく人は生理の奥底で持つべき、社会性を排斥・否定した欲望の暴走でしかありません。

「本音で話すこと」それ自体が、さも、人の本当の姿であるかのように正当化されていますが、そもそも人は、そこでの「場」における、自分の立ち位置を認識し、周囲を洞察し、空気を読み、自分の本音に対し、どの程度のバイアスをかけて、そこで言葉や会話を発せればいいのかを、学び会得すべき生き物だからです。

それはストレスを生みます。ストレスの吐き口は確かに必要です。

しかし、それで「匿名で好き勝手を言うこと」のすべてが正当化されるわけではありません。

ある意味で、そのストレスは、人が生きて社会を構成していく上では、逃れてはならない、責務のようなストレスなのかもしれないからです。

思想も、感想も、つぶやきも、批判も、罵倒も、愛のささやきも、これらはすべて「何が書かれているか」以上に「誰が書いたのか」が先に、重んじられるべきだと、私は思っています。

「好きだ」という言葉一つとっても「死ね」という言葉一つとっても、それが本気なのか、冗談なのか。そこでその言葉を放った責任を取れるのか、責任など取る気がどこにもなく、ただ言い逃げたいだけなのか。それらはすべて、受け取る側をいつだって、あたためたり傷つけたりするわけで、そこで、放つ側から受け取る側へのせめてもの責任は「自分が書いたのだ」と、明確に正々堂々とするべきなのではないかと、私は思うのです。

そこで「誰が書いたのか」だけでもはっきりすれば、その、記号の羅列や意味の重たさや意図を、受け手は感じる材料を得られます。

この交錯は、キャッチボールではとても、大事なことではないでしょうか。

ですから私は、匿名掲示板の価値を、今は全否定します。

そして問題は、今はJ-POP自体が、匿名掲示板とは逆に、語彙や言葉の多様性を見失い「自分が歌っているから」だけに頼り、借り物の言葉でだけ、我が身をまとい、取りつくろっているからです。

片方で、「誰が発信したかを明確にしないシステムに依存した、本音という言い訳の、記号の垂れ流し」がそこにあり、片方で、「誰よりも発信責任から逃れられないアーティストたちが、借り物同士の記号の羅列で、作品をでっち上げる」という状態。

これらに共通しているのは、社会というシステムにおいて、人がそこでの覚悟や責任を放棄してまで、自分を安全圏に置いておきたいという、弱く哀しい欲の帰結なのではないでしょうか。

私がいつも言っているように、弱さは悪ではありません。
しかし、その弱さを言い訳に、他者を傷つけたり責任から逃げようというのは、これは、人の生理の弱さからくる悪そのものであります。

文字は、その並べ方にはセオリーがあり、一定のパターンがありますから、発信責任があるときはそこへ逃げ、匿名に逃げられるときは、それを破壊する快感も、人にはあるでしょう。
しかし、人は気分の集約が気持ちであり、気持ちの積層が人格であります。そのときそのときの「気分」を、ルーティンでごまかすことなく、セオリーを虚飾でまとうのではなく、そして「他ではない自分が発信しているのだ」という責任と覚悟の中で、自分ならではの、記号の並べ方を模索し続けることが、人が人と繋がり合う、基本であると私は思うのです。

「そこに何が書かれているのか」よりも「それを誰が書いたのか」。
そのことをしっかりと頭において向き合えば、人と人の関係は、もう少しスムーズに社会を成り立たせていくのではないかと、私はそう思うのです。

書評ということ

2016/07/15

私がシミルボンで投稿させていただいた、「脚本家・市川森一総論『ウルトラマンA』光の国のディアスポラ」は、業界内外からとても注目していただけたようで、執筆した私も本当に驚いてはおります。

そこでの文字数は、3万文字弱で、3万文字というと、ちょっとした文庫本の半分ぐらいまでの長さがあります。

要するに、アレを読んでくださった皆さんは、ちょっとシミルボンという書評サイトで、何か気になる本がないかという気分で覗いてみたところ、いつの間にか文庫本半分に匹敵する、長尺の文章を読まされてしまったという話になります。

朝日新聞の「天声人語」というコラムは、文字数でいうと600文字から700文字前後です。書評であれば、1000文字から2000文字程度というのが、一般的でしょう。

ところが私のシミルボン投稿であると、その数倍の文字数であることが多いわけです。

それが究極までいくと、3万文字のような代物もできあがってしまうわけですが。

ところが、書いている当人は、そんなに長く書いているのに、いつまで書いても、書き足りないというジレンマを常に抱えております。

欲求不満なんですね。

ですから、現代ではwebにおける文章自由発信の是非ですとか、SNSの影響力という話題が多いのですけれども、私自身は、これまで20年間、物書きという仕事をやってきて、なにか「よし、今回は書きたいことを書ききったぞ」という思いになったことは、本当に一度もないんですね。

私どもの仕事の場合、概ね注文時に文字数というものがあらかた決められます。

仕事ではない私的な文章でも、SNSであれば、Twitterなら140文字ですとか、Amebloなら1万文字ですとか、制限があるわけです。

しかし、ここシミルボンは、文字数制限がないという、非常に自分としても、おもしろい、うれしい場所なのです。

もちろん、文章が長いことが何もかもメリットになるのかという問題や、むしろ長ったらしくなってしまうだろう内容を、どうコンパクトに凝縮して文章化するかが、プロの物書きのスキルであろうという、そういった問題意識は、これはもちろん持ち合わせてはいるのですが。

こういう前置きをしている事自体が、普通のコラムじゃないことを、楽しんでいるって言っては変なんですが、「今回は思い切って、こういうことを、とことん書いてみよう」と思って書いているわけですね。

つまり、ここまで書いて、すでに1000文字の尺を使っているんですが、実はまだ本題は何事も書いてないんです。

強いて、今「書評を続けるにあたって、これだけは書いておきたいな」と思っていることを、これから書くのですが。

“感想”と“評論”

私は書評以外でも、仕事以外でも、例えば「市川大河の映画・ドラマ探索紀行」という連載で、映像作品の批評などをやっていたりします。その他では、私は大変なウルトラマンマニアですから、ウルトラマンシリーズの批評・評論などを行なってもいます。そうしてきますとね、たまに立ち止まって考えてしまうことがあります。

「何か作品を語るときの、“感想”と“評論”を、分け隔てる概念とはなんだろう」と。

難しい話なんですね、これは。

感想は、100 人の受け手がいれば、100 通りあってよいと思いますし、むしろ 100 通りなければ、恐ろしい全体主義になってしまうとも思います。

文学作品としては、とても高度な内容と、深遠なテーマを扱った、非常に長い小説に Fyodor Dostoyevsky の『罪と罰（ｐｅｃｔｙｐｌｅｎｉｅ ｉ ｎａｋａｚａｎｉｅ）』というのがあるのは有名です。

この『罪と罰』も、さまざまな時代、国々で、さまざまな角度からの評論や分析、論文などがアプローチされているわけですが。

仮に誰かがこの『罪と罰』を読み切ったとして、読後に出てくる感想がただただ「人の物を盗むことは、よくないことだと思います」だけであったとしても、これはこれで立派な「個人の感想」なんですね。その人がそう思った。その事実は動かせないし、むしろ動かしてはいけない。場合によっては「何も思わなかった」というリアクションだって、立派な「感想」ではあると言えるわけです。

しかし、ここでひとつの問題が出てきます。

わかりやすく言えるのは「その感想ははたして、当人以外の第三者が、共有することに価値があるのだろうか？」という問題です。

もちろん、価値があるのかないのかを決めるのは、その感想を受け取った人、個々の問題でありますから、実際に読んでみないと分からないという問題も含め、私もそういう意味性を込めて、前回「誰がその記号を並べたのか」を執筆したわけです。

ですがまぁ、民主主義の原理原則として、思想の自由、表現の自由が保障されている社会に、私たちは生きているわけですから、それが他者の名誉や権利や自由を侵さない範囲においては、どんな感想もアウトプットされてしかるべきなのです。

そこに、ほんの少しだけビジネス論を混ぜれば、「他では決して読めない、他の人からは絶対に出てこない感想」というコンセプトも有効なのですが、それはそれで、「誰がその記号を並べたのか」でも言及しましたように、そもそもアウトプットする、感想を書く人自身に、相当、相応のバリューとプライスがなければ、需要が見込めるものでもないのです。

なかなかに、自由というものはレシーブを伴いにくいという、社会の基本ですね。

そうなると、「評論」の場合は、どうなるだろうという話があります。私は、「感想は、100 人いれば 100 通りあるべきだが、評論、批評には“正解”があるはずだ」という自論を掲げてこの仕事をやっております。敬愛する映画評論家の町山智浩氏の発言や評論などを読んでいても、そのあたりは明確なのですよね。

送り手が、その作品に何を込めようとしたのか、結果どうして、最終的にこの映画のここの表現は、こうなったのか。

それに対して町山氏など著名な映画評論家諸氏は、映画だけを何度も観るのではなく、むしろその映画が製作されて、完成するまでに起きた出来事や資料、それらを、物証と証言で徹底的に追求します。

映画やドラマというのは、個人創作ではなくプロダクツですから、刑事事件の警察のように捜査していけば、必ずそこには手掛かりや証拠が残っていて、それは「制作側はこうするつもりだったけれども、結果的にはこういう完成品になってしまった」という角度も含めて、オンリーワンの「正解」に、辿り着くことは決して不可能ではないんですね。

かくいう私も、先ほども述べました、ウルトラマンシリーズの評論などでですね。私の場合、近年展開されているウルトラマンには、殆ど興味がありませんで、評論・研究対象の殆どは、1970年代までに放映されたウルトラマンシリーズが対象なのですが、そこでは徹底的に、考古学のように資料を集めて、正解を導き出すという作業が重要になってきます。

なにせ、一番古い「ウルトラマン」（1966年）にもなりますと、2016年で50周年記念なわけですから、当時を実際に送り手側でご存命な方も、もはやもう限られてきているわけですし、あらかたの物証や資料なども、そうそう残っていませんから、いよいよもって考古学になります。

以前、私のウルトラマン評論を読んだその道のプロの方から「大河さんの評論は、まるで本格推理小説を読んでいるかのようだ」とおもしろがられましたが、私は本来、評論という行為は、「現実の世界に落ちているピースや伏線を集めて組み立てる、本格推理小説のようなものだ」と考えていましたので、その言葉をとてもうれしく受け止めたのを覚えています。

そうした「ウルトラマン評論」みたいなものは、商業の世界でも同人の世界でも、70年代から行なわれてきたわけですが、その過程においては、誤った手法や解析方法が、商業の世界で脚光を浴びてしまい、よくわからない素人評論家モドキさんが、皆そっちへ、右に倣えで間違った方向へ進んでしまったときもあります。

これは私見ではないのですが、映像作品はもちろん、完成作品は映像なんですから、映像作品を評論するのであれば、完成映像を前提に考察や研究をしなければいけないんですよね。なのに、対象が映像作品なのに、その映像作品を脚本面、脚本家の文芸性だけでしか、表層的にしか論じられない人が増えてしまった。いえ、既存のウルトラ（を文芸でしか読み解かない）評論が「そういうことが正解なのだな」と思う人を、増やしてしまったのです。

これは私は、明確に害悪だと感じております。

これは、ウルトラだけではなく、ドラマ批評などの世界でもよくみられる現象です。

確かに物語や台詞、ダイレクトに解析しやすい文芸面で論ずることは、これは少し教養があれば、誰もが評論家になれそうな錯覚を与えはするのですが、実際はというと、それをするのであれば、脚本をちゃんと、準備稿から遡って、それがどういう経緯で、どこがどう変えられて、完成した映像作品で出てくる描写や台詞は、そもそも脚本にあったのか、なかったのか、という部分が大切になってきます。

そもそも、映像作品を作る側は、あとあと評論しようとしている人たちのことなど、優先して考えませんから、現場で監督が、その場で台詞を変えたり追加したりなどというケースもいくらでもあります。そこを精査しないで、完成作品を文芸だけで語ろうとすると、とんでもなく見当違いの作家論を導き出してしまう例も少なくありません。

例えば、その作品を観て、家の中より、屋外のシーンのほうが多いとして、それを作家性として前提論にしてしまうこともありのようにみえるのですが、はたして実際は、予算やセットスケジュールの問題で、屋外のシーンを増やすように、予め決められていた中での作劇だったりする場合もありますので、これも一概に作家性とも言い切れないわけです。

以上のような話をすれば、少なくとも映像作品においては、背景事情や制作過程を因数分解していくことで「正解」に辿り着くことが可能であるという私の説も、それなりにご理解を頂けているだろうと願いますが。

これが、ある種の個人創作に極めて近い、小説や漫画などの書評ということになると、また話は違ってくるのです。

以前、私がシミルボンで、日本SF文壇の黎明期について書いた「『小松左京のSFセミナー』が遺したもの」でも語りましたが、黎明期の頃のSFは、少なくとも日本では、星新一氏が大活躍をし過ぎて、無知な出版社や編集者の中に「SFとはショートショートのことを指すのだ」という、誤った知識が広がり、どの作家にも、ショートショートの注文が回った時期があったと書きました。

例えばその時期の、そういった事情を知らずに、小松左京氏（『日本沈没』）や広瀬正氏（『マイナス・ゼロ』）、平井和正氏（『幻魔大戦』）あたりの、長編向き作家のショートショートを読んで、感想ではない、何か評論を展開してみせたとしても、どうにもあさっての方向に論旨が行ってしまわないとは限りません。

大衆娯楽小説等は、編集サイドが要望を出したり、ときには直接、筆を入れてきたりする例もありますので、ここの分別もまた厄介なわけです。少年ジャンプの一時期の漫画群などが一番顕著な例で、どの漫画もどの漫画も、結局バトル漫画へジャンル変更していった経緯を、すべての漫画家の、作家性の偶然の一致として読み解くようでは、100年かかっても、感想は感想のまま、評論に進化することはないでしょう。

というような感じで、今回もこうして長々と書いてしまっているわけですが。

先ほども書きましたように、コラム、批評、文章の世界では「短く簡潔に、完璧に書き上げることが美徳」であるという慣習があるわけなのですが。

それが映像作品などである場合、映像作品のボリュームは文字数ではなく時間ですので（脚本換算すれば、１時間２万文字前後というおおよその目安はありますが)、それを、ここまで述べてきたような手法で、ロジカルに因数分解していくという手法が有効に尺を縮めることにも繋がるのですが。

そもそも、因数分解という手法自体が、展開するという形で「広げる」わけですから、評論対象が1万文字の文学作品であった場合、何かポイントを絞って抽出して論ずるならともかく、作品全体へくまなく言及したり、「正解」を立証しようと思えば、どうしても分解元のソースである評論対象作品より、短くすることは難しいわけです。

極論してしまえば、日本の漫画界には優れた名作の4コマ漫画は数知れず存在しますが、どれか一つ、特定の4コマ漫画の魅力やおもしろさの理由、作家性や構造力学等に関してのすべてを、これを評論する側も、たった4コマの画か、それ以下の情報量で論じきれるかといえば、これは誰が考えても絶対に無理であるという(その可能性がないわけではありませんが、「そこ」で必要となってくる表現スキルは、既に評論家の範疇ではなくなってしまいます)、そういう例えで述べれば、皆さんも「あぁなるほど」と、わかっていただけると思います。

ですが、文庫本は少なめにみつもっても、5万文字から8万文字程度あります(最近の、ライトノベルと呼ばれる商品に関しては、残念ながら手元に資料も、興味もないのでわかりかねますが)。いかに「評論に正解を」と肩ひじを張っても、1冊の書籍を読むたびに、合わせてそれ以上の物量の評論を読まされるのは、これもこれではた迷惑な話であります。

天才の因数分解

無論、天才がやればその「オーバーソース論文」も、立派な娯楽になります。

シミルボンで、「広瀬正『SF 作家にしてタイムマシン搭乗者にして、天使』」でも書きましたが、往年の SF 界の天才・広瀬正氏が、Robert Anson Heinlein の『時の門（The Time Gate)』という短編を、徹底解剖してその天才的頭脳で、物語のパラドックスを突き止めた論文「『時の門』を開く」は、論元の小説よりも、文字数は大幅に増えていましたが、称賛の声がいくらあれど、元ソースの小説の文字数を、評論が超えたことに対する問題点を指摘する声は皆無でした。

そういった「稀代の天才による希少例」は脇に置くとして、やはりシミルボンが、いくら文字数制限が今のところなくても（案外、私のせいで、文字数制限が発生してしまうかもしれませんが (笑))、だらだらと長くなってしまう評論の持つ「正確性」を、SNS という形態を伴った、このサイト発信で行なっていくことは、やはり無理がありますし、表現者の末席としても、不利なものがあると言わざるをえないのが、実際のところであったりもします。

これから先、私こと市川大河がめざすのは、「唯一の正解」と、的確にそれを抽出する「評論」なのか。それとも、市川大河という書き手に、キャラクターバリューやプライスを感じてもらって「この作品を、市川大河という人物が論じたらどうなるか」への興味を、皆さんの中に抱かせる「感想」になるのか。

そういったことを含めてですね。自分のこれからの、書評という行為に対するスタンスとを、受け取っていただければ、本当に幸いだなというようなことを、一応これで、書けたわけですが。

このくらい書きますと、まぁ、やや欲求不満がなくなるという (笑)。

そのぐらい、単純な話をするのにも、文字数は要るんですね。それに比べると、私は SNS やブログは、短すぎたなぁと、いつも思います。

短くしか説明できないという、SNSの恐ろしさと欠点があるということを、今、こちらで書かせていただいて、つくづく思います。
えぇ……いくらなんでも、長いんで、こんなところで。
(今回の「多事争論」は、筑紫哲也氏がテレビを通じて最後に視聴者に向けた、2008年11月5日の「後の多事争論」の口調、文体のモチーフをオマージュに用いていますが、内容は全くの別物であり、なんら関係はありません)

女が描く「強い生きもの」としての女

2016/07/21

今回、気分転換に、夏樹静子女史のミステリー『Wの悲劇』を読んでおりました。
この本を読むのは、人生で3回目になるのですが、なるほど女性原理のミステリーだなぁと感心させられます。

これはあくまで私の個人的心象なのではありますが、この世には男と女しかいないわけで、それは生物として別個だと思うのです。
で、こと作品や芸術の世界では、そこで物語や描写をする場合、作者が神の視点を得るわけで、そこでの神は人である以上必ず男か女なんですよね。
なので、どうしたって、その「作者という神」は「己と同じ（性の）生きもの」と、「己ではない（性の）生きもの」の両方を操らなくてはならなくなります。

簡単に言えば、男が作者の作品は、それが漫画でも小説でも、どうしたって、男はリアルに描けるけれど女がリアルに描けず、女性が作者の場合はその逆の現象が起きる、というこれはもう不可避な現実なんです。

極端な例で言えば

「萌え漫画に出てくる美少女キャラの、生物としてのありえなさ」

「少女漫画に出てくる美少年キャラのリアリズムの欠損」

でもそれは、あまりにもわかりやすい例を挙げただけであり、「自分とは違う生きものである異性を、神たる作者がいかに扱うか」というのは、芸術、とくに文学や戯曲の世界では、古くから永遠のテーマでありました。

ひとことで言えば「性の壁」。

これを超えることは、結論から言ってしまえば「どうあがいても無理」なんですね。

戯作者というのは、よく神に例えられますが、シェイクスピアの時代から、近代文芸に至るまで、そこを乗り越えられた神はいない。

違う言い方をするならば、やはり人は人でしかなく、神にはなれないということです。

ですが、勘違いしていけないのは、だからといって、そこへの挑戦と探求を最初から放棄する行為は、そういう人間は「物語を送る側」へ立ってはならないということであると思います。。

探求ポイントは「どうせ描けないのなら、そこでどう立ち居振舞うか」なんですね。

そうすると、『Wの悲劇』や向田邦子、宮部みゆき、柳美里などといった女流作家作品を俯瞰していくと、わかることがあります。

そこで「女々しい男作家」の世界と「開き直って気骨が座った女作家」の世界で、真っ二つに分かれるのですね。

「いいかい、男と女では女の方が強いんだ、生物としてすでにその差は歴然なんだ」

幼いころからの私に、何度も何度もそう言い続けたのは亡母でしたが、彼女はさらにこう続けました。

「崖っぷちに立たされたとき、土俵際にきたとき、強いのは女だ。生命を生むのも、育てるのも女だ。男なんて、女に育ててもらって、なだめすかされて、おだてられて、ネクタイしめてもらわなきゃ、社会で仕事一つできないんだ。あんたたち男は、女の足元にも及ばない生きものだって、まず自覚しなさい。でもね、あんたは男だから、女を守らなきゃいけない。生まれながらにして自分より強い生きものを守れるように、もっと強くなるように、努力しなきゃいけないんだよ」

今にして思えば、酷い逆ジェンダー差別です。私が思い込みが強いのも、母の影響があるとも考えられます。

しかし、こと作劇を通して申しますれば、その母の言葉の意味を、漫画の世界で初めてそれを思い知ったのは入江紀子のデビュー作『猫の手貸します』でした。

青年誌で掲載されたその短編は、どこにでもいる独身OLが、優しい妻子持ちの先輩上司と不倫してしまい、あたふたしてるうちに、いろいろあって一人で生きていく道を選ぶという、ありがちな物語です。
クライマックス、別れを切り出す主人公に、不倫相手の男がすがり、恫喝のように迫ります。

「お前、俺がいなくなってもいいのか？　俺がいなくなるんだぞ？

お前はそれでも生きていけるのか？」

哀しいかな、男なら誰もが一度くらいは演じたことのある、往生際の悪い、惨めでプライドだけが高い責め言葉の典型例ですね。

主人公の決心が、その言葉一つ一つで揺らいでゆくのが表情で描写されます。

男の脳裏に「もうちょっとだ。あと一歩でまた引き戻せる」という考えが浮かび。

「今までを思い出せよ。俺たちあんなに楽しかったじゃないか。別れちまったら、あれもこれももうなくなるんだぞ？　いいのか？ 本当にいいのか？　俺を失っても生きていけるのか？」

という主旨の台詞で、その、必死の説得の男のコマでそのページは終わり、読者が次のページをめくった瞬間。

そこではページが見開きで使われ、満面の笑みを浮かべた主人公の

「うん！　がんばる！」

という台詞が発されていたのでした。

それを最初に読んだとき、私はまるで自分自身がフラれた瞬間のようなショックを覚え、それはある種の既視感でもあったのですが、とにかくこの作家はすごい、と確信させられたのでした

男が男のために描く「強さ」は、結局「燃え」でしかありませんでした。暴力的なカタルシスを描き、受け、満足するやり取りでしか、男性作家は「男の強さ」を描くことができませんでしたが、女性が「女性の強さ」を描くとき、それは生きものとしての根源の強さを描けるのだと、そこには、男として生まれた生物が決してかなうことができない、真理が描き出されていたと思います。

入江紀子、西原理恵子、こうの史代、彼女ら女性漫画家が描く「人の強さ」は、手のひらからエネルギー弾を発射しながらバトルで勝つ強さとは無縁のものです。

そこでは男はひれ伏すしかありません。

思えば、彼女たちのプロトタイプとも呼べる高橋留美子が描いた『うる星やつら』は、一見荒唐無稽な設定とストーリーテリングを見せながら、そこで描かれる「ラムちゃん」は、真に強い女性のリアルな理想像でした。

むしろ、(やはり高橋留美子女史も女性でしかなかったためか)諸星あたるという男子主人公キャラに著しくリアリティが欠落していて、そこを補完しようと「男性作家」たる押井守監督が、男性原理からその世界観にリアリティを与えようとした結果、劇場用オリジナル映画「うる星やつら2　ビューティフル・ドリーマー」(1984年)になったのですが、女性作家が神として送り出す作品に溢れる「女性の持つ真の強さ」は、それが表に出てくる社会になればなるほど、その受け皿としての社会自体が脆弱化していることを証明してしまうわけです。

例えば、昨今の萌え漫画文化では、そこで萌え漫画を描く作家には女性も存在し、さまざまにコラボしながら萌え文化を形成しているのですが(一部の常識人には信じられないかもしれないですが)「萌え漫画のヒロインが、実は過去に恋人がいて、すでに処女じゃなかったかもしれない(確証はなし)」それだけの理由で、呆れ沙汰の抗議行動が暴走し、ネットが炎上し、作者が入院沙汰になるまで追い込まれたり、連載が中止したりという、笑うを通り越して、背筋が寒くなる騒動がおきることが実際にあるのです。

そしてまた、たいてい、そういう騒動の原因になる作品の作者は女性だったりします。

ここは、冷静に考えれば、多様化しすぎた萌え文化に対して、女性ならではの視線と視点を取り入れることは、先細らないために必須であり、そこでは女性でしか描けない展開や流れがあって当然なのですが、脆弱で卑怯で矮小な男性萌えマニアは、その多様性を許す度量と強さを持たないという悲しい構図があるわけです。

男と女が恋愛と信頼でつながるときに、過去なんて関係ないのだという真理さえ受け止めるだけの余裕も持てず、自分が恋愛という妄想空間の中ででも、他者と比較されまいとする、後ろ向きで卑怯な処女信仰だけを満たすことを、暴力的に要求し続けるというですね。

物語世界でくらい、夢を満たされたいという童貞魔法使い男性の願望を、100 歩譲って認めたとしても、そこでその腐った男たちが実際に巻き起こす、ヒステリックな抗議活動の実情は、見るも無残に醜く汚いと、私などは思ってしまいますが。

これが「男の弱さ」の、悪しき露呈の正体なのですよね。

萌え好き男はそうやって、最後まで自分等の桃源郷に「現実」という要素が介入することを阻み続けますが、それはまるで、安保闘争時代の安田講堂事件を見るかのように、ヒステリックな退却戦でしかあり得ないのだとも言えます。

筆者の母が、かつて筆者に述べた「男と女のあるべき関係性」。

それが保たれて、初めて機能する社会において、男が数の暴力で、ヒステリックに女性のもたらした真理に抵抗すれば、それは局地戦では男性の数の勝利が得られるかもしれませんが、真理は真理であるので、それを根底から否定することは出来ず、結局「女が露呈させた現実から、男が必死に目をそらす」を繰り返すしかないわけです。
そんなリフレインが続く社会は、やがて崩壊しか、ないのではないでしょうか。

『Wの悲劇』はもちろん、女性作家・夏樹静子によって書かれたわけでありまして、そこにあるのは、実は決して『W（WOMAN＝女性）の悲劇』ではなく、真なる女性の強さであると、私は思います。
愛と生命と、生きる強さを兼ね備え生まれた女性たちは、決して悲劇に陥ることはなく、次の未来へ希望と命を繋いでいく力を持っています。
俯瞰すれば、それは橋田壽賀子ドラマの「渡る世間は鬼ばかり」だろうと、北川悦吏子の典型的なF１層（20歳～34歳の女性層）向けラブストーリーであっても、血肉の通った生身の「人間」の強さを描く力は、男性諸作家より女性作家の方が、秀でているのではないかと、私は思うわけです。

それは例えば、オタクが楽しむ特撮の世界でも同じであり、平成仮面ライダーや戦隊シリーズにおける脚本家・小林靖子や、平成ウルトラシリーズの脚本で傑作を連発する太田愛など、女性作家のほうが、生き生きとした「人のドラマ」を描く資質を、私自身は感じます（個人的には、筆者は太田愛こそが、「平成ウルトラにおける市川森一」だと思っています）。

真に強い人間は、己の弱さから逃げない人のことを指します。
私が敬愛する作家や脚本家たちは、それがかよわき男性作家であっても、皆、己の弱さと向き合い、逃げることなくそれを筆に込めていました。
上原正三、市川森一、佐々木守らの「本籍地・ウルトラマン」脚本家の皆さんは、彼らは決して、自分たちが女性に守られてなければ、生きられない存在である事実から逃げることはなく、しかしその、己を存在させてくれている女性たちをいかにして守るかを、模索して提示する手紙を書き続けていました。

現在、社会は弱体化しすぎています。

それゆえに、男性は妄想と幻想へ逃げ込み、女性だけが現実を受け止め、ブルドーザーのように切り開くしかなくなっているのが現状です。

ネットでは、そこへ歪んだ嫉妬と僻みを持った「何もしない男たち」が、そんな女性たちへ、必死に唾を吐きかけようとあがいている「女性への差別感」が、そこかしこで見られます。

「現実にはありえない、ツンデレだのヤンデレだのボクっ子だの義理妹だの、女の手も握ったことのない童貞の妄想の中にしかいない化けものが、次から次へとカタログショッピングのように現われる世界で、自分一人だけが常識的で正常だとの自意識だけをプライドにして、その化けものたちへツッコミを入れたり、ハンカチを渡す程度の優しさを振りまくだけで、自動的に、すべての化けものたちが自分へのラブラブモードになってくれて、最終的にハーレムになる作品」

冷静に考えれば、そういう作品や、それを好むオタクという図は、正常な判断を持って眺めれば、地獄曼荼羅にしか見えないはずなのですが、弱体化しすぎて疲弊し、疲れ果てた我が社会においては、まずは男性たちは皆、そこへ逃げ込み、引きこもり始めてしまいました。

人と人が繋がり合う社会で、現実と向き合い戦っているのは女性たちばかりだというのが現状です。それを守る、もっと強くなって守る責務を負ったはずの男はどうした!? と、私の亡母ならきっと憤ったことでしょう。

もしも我々の世界に"Wの悲劇"があるのだとすれば、そんな女性たちが愛するに値する男が、存在しなくなることなのかもしれません。

「女が強くならざるを得ない社会は、危険な状態なのである」

これはかつて大江健三郎氏が説いた社会論なのですが、私や皆さんが老後を迎えて人生を収束させるまで、この社会はもってくれるのでしょうか。

この、今まさに危険な状態を、私たちの社会は脱出することが出来るでしょうか ――。

やらずに逃げた後悔の先にあるもの

2016/07/30

私たちが生まれるはるか以前は「人生 50 年」などと言われていた時代もあり、そうすると、2016 年現在 50 歳を過ごしている私なんかは、もう人生終焉後の亡霊期間といったところなのでしょうが、現代では医療の進歩も手伝って、平均寿命もついに男性も 80 歳を越えて、人生はとても長くなったように、一見思えます。

つい先日に読んだ 1960 年代の書籍には、「男性の会社の定年は 55 歳、女性は 25 歳」とあり、女性の社会進出への当時の壁の大きさが推し量れると共に、男性の定年もまるで「社会人生 50 年寿命」と言わんばかりの数値に少し驚きました。

その当時も今も、当然国民年金というシステムはあるので、定年後はそれを頼りに生きるのが戦後日本のスタイルだったわけですが、すでにご存じのように、国民年金というのは敗戦からの復興のため、一時的に導入された、国が国民に借金をする、いわば「国家的ネズミ講」ですので、これはもう、永遠に継続することなど当初から想定されておらず、いずれ破綻することははっきりしていたシステムだったわけです。

現在でも、その破綻を少しでも先送りすべく、政府による恒例行事のように、年金受給開始年齢の引き上げが続いてますが、さて、現代を生きる私たちがそこで受給できる年齢まで生きられるのかというと、現状の日本の平均寿命を物差しにして楽観視するのは、これは少し迂闊ではないかと思ってしまうのです。

現在平均寿命を 80 歳台まで引き上げてくださっているお歳を召した皆さんは、戦前、戦中、戦後の食生活や環境で幼少期を生きてこられたわけであります。

その後、高度経済成長を越えて国民の間で発症した、各種アレルギーや花粉症、手足口病といった存在が、いまだ根幹解決に至らず原因と正体が不明であることをふまえるとき、私たちは、放射線以上に見えない「何か」に侵されて現代を生きていて、決してそれは、現在の平均寿命を延ばす方向へは作用せず、ともすると、私たちあたりの世代から、一気に平均寿命が下落するのではないかという、そういう心配もしてしまうのでありますが、これが杞憂で終わってくれればとも願います。

そう考えたとき、決して長くない人生の中で、人はさまざまな体験や経験を積んで、成長して次のステップへと向かうように社会整備がされているわけでありますが、しかし一方で、同じ経験であっても、早まるべきではない経験と、早く済ませておくべき経験というものが、決して二極化ではありませんが､大まかに存在するのではないかと思うのです。

例えば、今の義務教育の音楽の授業等では、流行の J-POP 等が取り入れられたりしているそうでありますが、私たちの時代は、教育素材が流行や娯楽性を伴うという発想自体が皆無で、音楽等はほとんどが唱歌の類で埋まっていたものです。

現代国語の教科書にしてみても、そこで引用されているのは概ねが、太宰治や夏目漱石といった大御所たちの作品でありました。

そういった作品に、子どもの頃から触れておくことは大変大事ではあると思いますが、そこでの「初めての出会い」が、本屋や図書館の棚ではなくて、押しつけられた教科書の上であるということは、決して太宰治にとっても、夏目漱石にとっても、栄誉はあっても実益は少ない登用だったのではないでしょうか。

そんな太宰治の『走れメロス』にしても、夏目漱石の『こころ』にしても、よく言われるのが「同じ作品でも、読む年齢ごとに印象が変わる」というのがあります。

特に太宰文学に関していえば、決して『走れメロス』は太宰作品の中では傑作とは言えず、むしろ「子どもにもわかりやすいから」という理由で選ばれていた気もするのですが、実際、『走れメロス』にしても『こころ』にしても、10代、20代、中年になってからと、時を経て読むたびに、投げかけられてくるものに違いを感じるのが人間というもので、そういう流れと、定点観測のような座標軸を得るという意味では、子どもの時代に、一度そういう文学に触れておくというのは、これは意味のあることなのだと私にも理解できるのです。

同じものを、見る自分が角度や視線を変えることで、感じ方の違いで自分の変化を知る。

それは、文学や音楽、映画やドラマにもいえる楽しみ方でもあり、自己確認でもあります。

そういう意味では、さまざまな経験にも、年齢に見合った意味性や必然性があるのだと思うのです。

そこで今回、私が提唱する「若い時にしておくべきこと」には、恋愛も加えておきたいと思います。

これは本当に真理で、人が成長して生きていくプロセスにおいて、大事な通過儀礼ではないかと、私自身の人生を振り返っても強く思うことでもあります。

「異性と初めてつき合った」のが、10代のうちなのか、20代を越えてからなのかは、「何歳で初めて太宰治を読んだのか」と同等かそれ以上に、男性の場合、特にその後の人格形成や社会性に大きな格差を齎すと思うのです。

10代、特に男性の思春期は、その価値観や思考回路の殆どを性欲が占めます。

性欲は悪ではありません、もちろん正義でもありませんが、大事なことは二元論ではなく、「それが原動力、モチベーションとなって、自分を成長させるように、あらかじめ遺伝子レベルで施されたプログラミングである可能性も高い」からです。

性欲は、それは本能ゆえに満たしたいという欲求を生み出しますが、それを満たそうと思えば、当然相手、この場合は合意と同意を得られた異性の存在が必須になります。

しかし、そこで欲求達成要件を満たしたかどうかの判定権限は対象の異性にあり、男性は、そのハードルを越えて聖杯を獲得すべく、獅子奮迅の努力をせねばなりません。

例え目的が性愛や異性の愛情であっても、そこで費やした努力や経験値は、純粋にその人の成長を促し、次のステップへと進ませる推進剤になるのではないでしょうか。

その上で、その男性が見た「夢」への努力成果の認証権を持つ女性においては、厳しくそれを判定してもらって構わないのです。

「夢」は誰もが見ます。

それは恋愛でも人生でも仕事でも、大きければ要求されるエネルギーも多く、積み重ねなければいけない努力の量も、ちょっとやそっとではないでしょう。
人はそこで、途方のなさに立ちすくみ、夢をつかむことを諦めてしまうかもしれません。
以前、Twitterで某漫画雑誌編集長が「諦めなければ夢は必ず叶うというテーマを、無思慮に作品のテーマにすることはいかがなものか」という大意の発言をして、物議を醸し出した件は、まだ記憶に新しいですが、私も同じ意見です。
努力は夢を必ず約束するものではなく、それを子どもや思春期の青年に妄信させることは、大人の無責任であり怠慢であるとも感じます。
それゆえでしょうか、私は某子ども向けドラマの評論をライフワークに行なっていますが、最近の、やたらと「夢は信じれば必ず叶う」を、自己陶酔の金科玉条で唱える作品には、まったく興味が沸かず、新作にはほとんど触れずに情報も取り入れていません。
夢が叶わなかったのが、努力が足りなかったせいだけであったとするのならば、夢を信じ切れなかった心のせいだと決めつけてしまうのであれば、オリンピックで金メダルを取れなかった選手は、全員努力が足りなかったことになります。
東大の試験で不合格だった若者たちは、夢を信じ切れなかったという結論になってしまいます。
私は、人生とはそこまで都合の良い二元論で出来ていないと考えています。

42.195kmを走るフルマラソンの選手でも、最初からゴールを想定して、走行ペースのすべてを管理して走っているかといえば、実はもう少しわかりやすい形で、実戦では必死に頭の中で「今はあの電柱まで」「次はあの信号まで」と、自分に言い聞かせながら走っているアスリートも少なくないと聞きます。
大事なのはゴールすることであり、人生のグラウンドデザインやトータルコンセプトは、実はそうそう、意味があってサクセスストーリーを、都合よく作るようにはできあがっていないのです。

それは、恋愛に関しても同じだと思います。

誰かに恋をする、誰かを好きになる、そしてつき合いだす時、最初から互いに時限性で期間限定を定めてつき合う人は、ほとんどいないというのが生理です。

実際は、いつでも誰もが「この人と永遠に時間を共にしよう」と決意して、そこで初めて「自分ではない誰か」を観察し、交流し、想像し、手を差し伸べあう、その果てで、若さからくる迂闊さや拙さゆえに、別れの時を迎えてしまう。

それはとても哀しいできごとですが、それはしかしやはり人が成長していくためにおいては、とても大事な通過儀礼ではないかと、私などは思ってしまうのであります。

「夢」が永遠を対象にしたものでなくても、人生のゴールを目的としたものでなくても、そしてさらに、途中で敗れるものであっても、それでもそこに価値と意味があり、その繰返しこそが、人を成長させて、次のステップへ誘い、そこでまた新たなテーマや絆に出会う、それでいいのではないかと私は思うのです。

確かに、恋愛に限って言うのであれば、人生で初の恋愛が一生実ることは、これは誰もが見る夢であるかもしれません。

失恋などという苦痛と哀しみに満ちた時間を、あえて迎えたいという人がいるとも思えません。

しかし、私の小学生時代の同窓生同士が、初恋同士で結婚した例を見ているのですが、そこでは夫婦互いに「数の足りなさからくる未熟さ」を補うことを求めてか、双方見て見ぬふりをしながら、お互い不倫に勤しむ年月を重ねているという、およそ私たちが幻想に抱く「初恋の永遠像」とは遠くかけ離れた生き方をしております。

確かに失恋はリスクです。できることならリスクは避ける生き方こそが利口です。

しかし、リスクをゼロにすることを最優先にしてしまうと、それは試合放棄と同じで、得る物もゼロになってしまうことが前提になってしまいます。

性欲はある、恋愛気分は味わいたい、しかし絶対にリスクだけは避けよう。

そう考えた思春期達は今、二次元やネットツールによる「裏切られない擬似恋愛」に逃げ、そこで「予め用意されてプログラミングされていた、成長するための原動力」を、無意味に発散させて、自己解消して無理矢理自分を納得させています。

これが、世に言う「若者の恋愛離れ」の原因と実情ではないかと私は思っています。

「若い頃の苦労は買ってでもしろ」と昔の人たちは言いました。

「それが何故か」へのエクスキューズを、とても安易なリスク論で回避してしまい、70年にも延びたはずの人生で、大事な場面で転んで大怪我をしないために、あらかじめ体に覚えこませておくための転び方を、痛いからという理由で学ぼうとしません。

アニメ、漫画、ゲームの「解体新書を見ながらでっち上げたフランケンシュタイン」に、一方的に入れ込み、場当たり的に自分を虚栄で満足させている若い男性たち。

以前、私がネットで突然名前が売れ始めた頃に、そんな私をおとしめ、「その手の界隈」から私の名を消すために近づいてきた若者がいました。

その若者は、私の信用を得るために架空の人間像を作って演じてみせて、私に対していかに敬愛し、傾倒しているかを必死にアピールしましたが、彼が私に見せていたカードは、すべては虚像であり、私の個人情報を得る目的で、郵便送受で使用された、住所も実名も虚偽でした。
彼は私の信用を得ようとブログまで開設し、そこでは自分には彼女がいることも懸命にアピールして、写メまでアップしていましたが、後からわかったことですが、それもこれも虚像でしかなく、中身はただの、ネットというツールの悪意に包み込まれた、恋愛の経験の一つすらそもそも無い、醜悪な存在だったのです。

その若者のブログは今も存在していますが、当初の目的を果たしたため、今はすでに放置状態で、遡って読んでみれば書いてあった日常雑記もでたらめ放題でした。

私は、その巧緻に長けた手腕を、呆れながらも感心するしかなかったのですが、しかしそれでも、それは決して生身の人の人生で、役に立つ能力ではないと思います。
むしろ、初恋を成就させた代償に「得られなかったままのもの」を今も追い続ける、不倫夫婦の同窓生のほうが、よほど人間らしいと思いますし、愛らしいあがきだと思います。

人はそうそう綺麗にだけ生きられる存在ではありません。
「10代の頃にやったこと」で言えば、喫煙や飲酒を思い出す人もいるでしょう。
確かに喫煙も飲酒も未成年では違法行為ですが、背伸びでそれをしたくなるのも、また生身の人間ならではです。
それが違法行為のまま放置されてしまってはいけませんが、そこでしっかり大人が見つけ、しでかしたこと相応の対応をするならば、そこで殴られた痛みも後悔も併せて、その後の人生で、大きな罪を犯さずに済む経験になるケースもあると思うのです。

漫画もアニメもゲームも、ネットもツールです。ツールはただの道具です。

それをうまく使って、我欲やエゴを自己補給して満足するのも自由ですが、徹底したノンリスク、ショートカットのポリシーは、結局何も生み出さず、成長もしないのではないかと私は思うのです。

「10代の恋愛は10代のうちにしかできないのだから、10代のうちにしておけ」

当たり前の言葉のように聞こえるかもしれませんが、実は恋愛を意識し始めてから、10代という年齢を終えるまでは、実質数年間しかないのが現実なのです。

恋愛も喫煙も飲酒も、20代を超えてからも幾らでも出来ますが、太宰治の『走れメロス』や夏目漱石の『こころ』を、小学生のうちに、自分の意思で一度読んでおくのと同じように、「恋愛」もまた、苦労や勉強等と同じように若いうちに一度経験しておかないと、その後になってから、特に男性は取り返しのつかないビハインドを背負うようになります。

私が敬愛していた故・筑紫哲也氏は、生前最後の多事争論で「この国は今、癌に侵されているような状況なのかもしれない」と締めくくっておられましたが、冒頭近くで書いた、今後の日本国民の平均寿命の低下への危惧と共に、「この国の未来の夢」を支え築くはずべきの、若い男性たちの「恋愛離れ」を見ていると、原発事故の放射線等のようなわかりやすいものよりも、もっと深刻で絶望的な問題が、癌のように粛々と進行しているような気がしてなりません。

彼らの生き方のプライオリティを「まず損をしないこと。傷つかないこと」にさせてしまったのは、いったい誰なのか、国なのか、社会なのか。癌は早期発見と早期治療が必須ですが、「やっておけばよかった」という後悔は、時間を巻き戻すことができない現実社会では、癌以上に早期発見が求められるのではないでしょうか。

よく漫画やドラマでは「俺はやらないで後悔するよりも、やって後悔するほうを選ぶぜ」と、主人公が意気揚々と決意して、物事が成功する過程が描かれますが、それは、作者という神があらかじめ「やって成功する流れと結末」を用意しているからこそ、有効なロジックであって、現実では「やってしまった後悔」のほうが、取り返しがつかないことがほとんどであることは事実です。

しかし「やってしまったこと」に、どう向き合い背負うのかというエクスキューズも含め、そこで挑んだ、すべての結果が等価であるのだという真理を、今を生きる若い人たちが、個々にしっかりとふまえなければ、まだまだこの国は、癌に侵され続けていくのかもしれません。

人格を障害してしまった人たち

2016/07/31

えぇ、今回は、少しやや難しいテーマを扱います。

相模原市で発生しました、障がい者施設殺傷事件ですが、この問題は、さまざまな障がい者問題や、福祉施設問題等が絡んでおります。

今回は、私自身の体験をふまえて、少し角度を変えた「人格障害を抱えた人との限界論」を、語ってみたいと思います。

私は、人格障害を抱えた女性から、ストーカーにあった過去があります。その時は、数年越しの案件となり、所轄警察へ何度も足を運び、ようやくストーカーをしていた女性に対する刑事訴訟が受理されて解決したという流れがあったのですが、あくまで今回は一度相模原市の障がい者施設殺傷事件との距離をおいて、別な角度から「人格障害を抱えた人」を、私なりの見識で語ってみたいと思います。

普通、皆さんはストーカー案件といいますと、当然のように「恋愛問題」を連想するのだと思いますが、その相手は一応成人女性でしたが、これはもう私の勘違いでもまったくないレベルで、そのストーカー事件は恋愛問題ではありませんでした。

ストーカー事件に関しては、これはもう刑事訴訟まで持ち込んだ話ですので、ここで詳細を書くのははばかられるのですが、これは今現在も、私に執拗に「似非ライター」「自称物書き」と、Twitterや匿名掲示板などでスピーカーを繰り返す、自称業界人のワナビーの人にもいえるのですが、実はなぜか私は「そういう人」とご縁があるらしいと、そういう自覚はあるわけです。

ですが、ただ自分が気に入らない人に対して、障害の名称や病名を付けて感情論の文章を書いてしまうと、差別とかの、そういう問題に発展しますので、大抵の場合私はそういう話題を口にする時は「人格障害者」とは呼ばず「厄介さん」という、ゆるキャラの名前のような言い方にするようにしております。

そのほうが余計な面倒を抱え込むリスクを避けられるからなんですね。

ではなぜ、私が今回「人格障害者との限界論」という言葉で文章を書くことになったかといいますと、ちょうど相模原市の障がい者施設殺傷事件と同じタイミングで、「知人」が今現在「そういう人」とトラブルを抱えていて、どうしたものだろうねという展開になったからであります。

ここで、改めて明言しておかなければならないのは、今から語ろうとする「人格障害者」とは、決して、「精神障害者」とイコールとは限らないということです。そのあたりはしっかりと、把握の上でお読みください。

先ほど私は「なぜかそういう人たちと縁がある」とは書きましたが、私は精神科医でもセラピストでもないので、いくら経験値を積もうが「そういう人とはこう接すればよい！」などという、便利なノウハウを持ち合わせていないわけです。

いやむしろ、今回の結論を先に言ってしまえば「そういう人格障害者と関わり合いになってしまった場合に取れる、唯一にして最善の策は『逃げろ！』しかなく、他に退治法もなければ、八方丸く収まる魔法の呪文もないのだ」という話になります。

ここまでが前置きですが、ある種の（あくまで「ある種」の）人格障害の人というの特徴として挙げられるのは、自分以外の全人類を「敵か、味方か」の二択でしか認識できないという。

つまり、その人の認識野では、「普通の知人」が存在していないのですね。

仮に誰かを味方だと認識すれば、どんな美麗な文句も献身的行為も辞さないのですが、いざ敵だと認識すれば、どんなに非常識行為や粘着、中傷、攻撃的行為もこれまた辞さないという両極端な部分が特徴になります。

そのふり幅の広さは本当に半端なく、まさに「ジキルとハイド」か多重人格かという勢いで二極化するのです。

そして、さらに怖いところは、その二極性が「気分一つ」「スイッチ一つ」

「自分の意志だけ」で、対象の位置づけがまったくの真逆に、ある日突然変動するということです。

簡単に言えば、今日この瞬間まで、その人格障害者に「人生最大の恩人で、一生をかけて愛する人」と思われていた対象が、本当に些細な（むしろどうでもいいような）理由で、「一生を賭けてでも殺さないと気が済まない、人生最大の敵にして仇」へと、役柄を強制変更させられるのです。

そのドラスティックな役割分担は、人格障害者の障害ゆえの承認欲求からきているものだと思われますが、要するに「世界中のすべての人間が、自分にとって（人生究極の敵か、一生信頼しあえる味方という）重要な関係性にあってほしい」という欲求の表われなのであります。

仮にあなたが「そういう人」と関わってしまっていたとしますと、そういう人の中では、そのスイッチが入れ替わった瞬間から、あなたも巻き込まれたまま人間関係は一変します。

ネットでもよく語られますが、人格障害者は一見すると「よい人」に見える（見せる）場合が多く、そうなるとその人は自分の二面性を最大限利用して、周囲の人間関係や他人同士の関係性をも巧みに操ることで、敵になったあなたをとことん追い詰めて、死ぬまで（といっても殺人事件に至るケースは稀なので、事実上は「永遠に」）あなたにつきまとい、あなたに対する根拠のない噂を触れ回ったり、周囲を味方につけたりして（人格障害者は潜在的にこの能力が総じて高いという話もあります）あなたの信用を棄損し、ときには被害者を装い、時には自分の命を人質に（要するに自殺すると脅して）他人に要求をのませ、ときには刑法の枠を超える行為にまで踏み込みながら、自分の「害がなさそうな外面」と「自分の思い通りにならない存在への憎悪と巧緻」を武器として使い分けながら、とことん追い詰め続け、そして「それ」は（人格障害者というぐらいですから）常人では絶対信じられない程の持久力とパワーを持って、あなたが周囲の人間関係のすべてを失うまで、あなたの人生が狂うまで続けられるのです。

特に「その人格障害者」が女性であった場合、恋愛感情や性行為をカードに使って人間関係構造をコントロールしたり、敵認定した同性を排斥したりする手段も頻繁に見られることも多いわけです。

まぁここまでの人格障害者概念は、ネットによる情報が流通し、人格障害という概念も可視化されるようになった昨今、ある程度は認識されている前提論なのですが、それは逆を言うと「人格障害者自身が自身の症状を認知し、それを隠匿するために偽装する」ために、「頭のよい人格障害者（人格障害はIQや頭の良い、悪いとは実は関係ない）」になると今度は、自身が有する人間関係において敵・味方の間に、巧みに自己催眠のように「普通の距離感の知人」を疑似配置することで、自身が人格障害であるという自己認知から逃避する行動に走るようになるのです。

今や「人格障害とは」がネットで簡単に検索できるようになればこそ、当事者たちも自覚・対策を立てやすく、逆に一般人が認知することが困難になっているのが実情であります。

なんといいますか「パブリックに公開された情報には、被害者も加害者も接することができる」からなんですね。

むしろ、人格障害者には、知能指数が高い人が多いとも聞きます。

「その人たち」は巧緻に長けていて、むしろ初対面や心理的な距離がある人に対しては、とてもジェントルに振る舞い、心を開きやすいように接してくる場合が多いのです。

しかし逆に「そこ」に、人格障害者を見ぬくポイントがあります。

人格障害者は、ある一定の距離を保っている間は、無害な知人の一人というスタンスでいてくれる存在でありますが、いざ距離が近くなった途端（それが初対面でも）率直に「敵か味方か」を判定しようと、「本能的に違和感があるレベルで親密にすり寄ってくる」のです。

この「本能的」は、あくまで概念論でもありますし、数値化できない感覚でもあるので、明言はできませんが、仮に「あなた」が「その人」に対して、「え。この人はなんで、もうこんなに私に対して親しげなの？私とこの人、いつの間にそんな親しい関係になったっけ？　まだそんな仲は良くないはずだよね？」と思うにもかかわらず、無暗に近づいてきては「私とあなたは親友だよね」ですとか「私はあなたの味方だよ」ですとか言うとしましたら。

その上で、あなたが聞きたくもない、その人の「内面性や過去に関する辛い話」「普通は相当仲良くならないと打ち明けないはずの重要な話」「自分とは一切関係のない、他人に対する誹謗中傷や虚実の判断がつかない罵詈雑言」などを勝手に打ち明けてきたとしましたら。

「その人」が人格障害である可能性は、疑ってかかったほうがいいかもしれません。

重ねて書きますが、今回、私は何も「人格障害者を批判する」ことを目的に、このような長文を書いている訳ではありません。

むしろ「人格障害者は、皆さんが思った以上にすぐ隣にいる」ことが多く、「人格障害者と交流関係を持ってしまった場合どうすればいいのか」を、書き記しておきたくて今回の「市川大河の web 多事争論」になったのです。

もちろんその回答と結論は「逃げるしかない」なのですよとは。

序盤で語りましたが、それは障がい者差別ではないのか？ 社会を構成する人として、人と繋がり合う社会論としては、ある種の責任放棄ではないのか？ という仮想論調に対して、少し書き記してみたいと思います。

①人格障害者に何も期待してはいけない

これはとても大事な前提論です。

私自身が、ストーカー問題のときに、精神医学の先生にお尋ねする機会があったときに教わって、目から鱗が落ちたのですが、「障害は治らない。むしろ治らないから障害と呼ぶ。治療や投薬で治る場合は最初から『○○病』と呼ぶ」というのがありました。

障害は治らない。これは残酷な現実ですが、当事者も周囲も、踏まえねばならない重要なポイントです。

専門家は続けて僕にこう仰いました。

「身体障害で腕がないとか足が不自由な人がいるじゃないですか。薬を飲んで手が生えてきますか？　治療で治りますか？」

なるほど、至極納得のお言葉です。

では、そこまで言い切られてしまった、人格障害者自身はどうすればいいのでしょうか。

ここでも身体の障害を例にして解説するのであれば。

A「まず、自分が障がい者であると認知する（これは身体であれば普通に認知できる）」
B「自分の障害を正しく学び受け入れ、一生その障がいと共に生きていく運命を受け入れる」
C「障害を前提に、どう他者と向き合えばいいか、どう生活していくべきかを実践し、会得する」
この３ステップしかないのですね。

もちろん現代医学の限界論として、「人格障害を治す投薬や治療法」もあるのかもしれないのですが、実はこれよりも、もっと面倒な問題が事前に待ち構えています。

②人格障害者は人格障害であるからこそ、自分が人格障害者である事実を認めようとしない

まるで禅問答か哲学のような文章になってしまいましたが「そういう事」なのです。

人格障害の一つに「自己愛の突出化」が挙げられますが、人格障害者が望むのはいつでも「自分が悲劇の主人公」であり「自分が被害者」である事実誤認です。

その場合、仮に頻出する症状が自覚されて病院へ自ら赴いたとしても、そこで求めているのは「あなたは（俗に言う）鬱病です」というような、「闘病の悲劇に浸れるような『可哀想な病』」のみでありまして、そこで医師が馬鹿正直に「あなたは人格障害ですよ」とも言おうものなら、即座にその医師は「敵認定」を受け「コイツはやぶ医者だ！」という認識になって、その人は自分が求めている診断を下してくれる医師が現われるまで、病院を変え続けるのが、しばしばみられる現実です（悲しいかな措置入院のケースを除き、概ねの医療現場においては、患者に通院先を選択する自由が認められています）。

③治らない人格障害者に、他者がしてあげられることはない

ここまでを前提に言うのであれば、この結論しかないのであります。

人格障害がなんらかのコミュニケーションで「治る」のであれば、友情や愛情を前提として献身的に接してあげることも一つの社会のありようであろうとは思います。

しかし、今も書いたように「本人が自覚して向き合おうとしない限り、決して治ることも症状が沈下することもない人格障害」を相手に、人生を捧げる覚悟もない他人が接し続けるのはリスクが高すぎるのも現実です。

言ってしまえば24時間365日「表が出れば生涯の友。裏が出れば一生恨み続ける仇敵」というコイントスを、され続けるようなものなのですから。

「敬愛する親友」から「殺さなくては晴れない恨み相手」へ――。

そのトリガーは、人格障害者の中にだけ存在し、その法則性は不規則であり気分的な物であり、一度決まったら（本人の気分以外では）誰にも覆すことはできないという、「無敵の法律」なのであります。

仮に、人格障害者に敵認定をされてしまえば、大げさではなく「人生を変えられるレベル」で、騒動や紛争や厄介事の嵐に巻き込まれてしまうのです。

あなたにとって「その人」が、そこまでのリスクを負う価値が本当にあるのでしょうか。

迂闊で浅い弱者擁護論だけで、ここまでの論説を批判しないで、どうか皆さんにも考えて頂きたいと願うのです。

私は別に「人格障害者を排斥しろ」「人格障害者を社会から追い出せ」と言っている訳ではありません。

例えば血の繋がった家族は、概ねにおいては一生その繋がりを解消することはできず、親子や兄弟は（法的にはどうであれ）死ぬまでそのままであり続けます。

その親子・兄弟が、家族として生まれてしまった以上は、とるべき最低限の責任と責務を負えばよいのだと、私は思います。

もちろん「さすがに家族でさえも持て余す」という人や症状も、ケースとしてはあるでしょう。

そうなったらどうするべきでしょうか。

さすがにそれ以上は「自己責任で」と言うしかありません。

私は何も「治療不可の、難病認定の病人を見捨てろ」と述べているわけではありません。
人格障害も「本人にその気さえあれば」自分で認知し学び、社会に適合していけるようにエクササイズを繰り返し、ちゃんと他者と対等に向き合えるようになることは可能なのです。

ただ、本人が障害さえ認知せずに、被害者面だけを保持し、自らの不幸の責任を他人のせいばかりにし続ける限り、やがて待っているのは「果てしのない孤独」でありますでしょうし、それを救うことはブラックジャックでも米軍でも不可能だという話なのであります。
そんな難行をあなたは果たせると、自信をもって言い切れますか？

果たせる自信がおありでしたら、これ以上止めはしませんし、どうかその人が真なる孤独に落ちぬように、自分がある日突然敵認定されないことを運命の神に祈りながら、つき添ってあげてくれればよいとは（嫌味抜きに）本当に願います。
しかし、今書いた「人格障害者の『たった一つの生き延び方』」を前提にした時には、そこへ誘導してあげることは誰にも不可能であり、本人の自覚と自立を待つしかないのが現状だということも、動かない事実なのであります。

序盤でも書きましたが、人格障害者は表向きの社交性だけは高いので、表層上だけの友人の人的数だけには恵まれるでしょうから、自分の対人環境だけを題材にして、自己の危機感には至らないである可能性は高いですから「放っておけば、いずれ因果応報で、我が身に気がつくときもあるだろう」は、往々にして果たされる可能性はないと、これは言い切れます。
ここまでの長文をお読みくださった方に向けて言えることは、たった一つだけです。

「あなたが『なんかおかしい』と感じた知人や友人や人間関係について、思い当たる節があったらネットで『人格障害』で検索をかけてじっくりお調べなさい。そこであげられてる『人格障害者の特徴』に当てはまるポイントが多く感じられるようであれば、あなたには、あなたの生活と平和を守る権利があるのだから、その人からはゆっくりとお逃げなさい」であります。

逃げるときはあくまでも「ゆっくりと」であることが大事です。

急激に逃げますと、人格障害者はそれを的確に察知して、ものすごい勢いで追いかけてきます。

追いかけてくる最中に「見捨てられ症候群」は、自動的に「敵認定・悪意」へと変質し、目的と手段が入れ替わる顛末を迎える可能性も高いです。そうなってしまうと、私のように数年単位で「厄介さん」の気分と執念とバイタリティ溢れる非常識行為に、悩まされる羽目になるかもしれません。

なので、あなたが気づいた「その人」との関係が「日々職場で毎日食事を共にする関係」程度であれば、最初は１週間に１回、やがては３日に１回といったペースで「ちょっと今日は一人で食事をしてくるね」と、何気なく装いパージしていく。こういった距離の取り方がベストだと思われます。

その相手が、Twitter や SNS で頻繁に対話をしている「ネット上でだけの関係」の相手であれば、ログイン時間をずらすか、別アカウントで大事な友人たちと対話するようにシフトしていき（その動きはバレないように。人格障害者の多くはネットの利便性を熟知しています）、タイムライン等で対話するときは「最近忙しくてねぇ」とでもつぶやき、ダイレクトメッセージ系に関しては「大丈夫。最近忙しいだけだから。でもいつまで忙しいかはわからない」などと返しておくしか他はありません。

「まるで、ジャングルで猛獣と出会ったときの対処法のようだ」「自分が何も悪いことをしていないのに、どうしてわざわざ、自分が慣れ親しんだSNSのアカウントを変えたりまでしなければいけないんだ」そう反論してくる方も多いかもしれません。確かに正論です。しかし「厄介さん」には、正論は何一つ効力を発揮しないのです。

こうしてアドバイスが弱腰ばかりになるのも、正直言いますと、私個人が「そういう厄介さん」に対する決定打的手段を持ち合わせていないからです。

何も参考にならないかもしれないとなれば、ここまで読ませておいてなんだと怒られるかもしれません。

しかしそれは、私個人からの「見知った現実を、書き留めておきたくなった衝動」ゆえ他ありません。

人には誰にも等しく「自分の平和と自由を守る権利」があり、平等なはずだからであります。

その平和を侵し、平等を踏みにじる件においては「徹底的に（法的等）戦う」か「なりふり構わず逃げる」かしかない、というのが、現実論です。これを読んでくれたあなたに、私のような迂闊ささえなければ、杞憂に終わる逸話なのかもしれませんが……。

「ストーカー」や「厄介さん」は、普通の人間が「いくらなんでも、そこまでのことをするはずがないだろう」と思うレベルまで、何でもしてきます。法を踏み越える犯罪者はむしろまだまだレベルの低い「厄介さん」で、彼らは決して病人ではありませんから、知能も技能も働きますので、「嫌がらせを気が済むまで行なうためならば」「好きな人に想いを受け止めてもらうならば」、ありとあらゆる「法の隙間」をかいくぐって、どんな手段も講じます。

桶川ストーカー殺人事件をはじめとして、各種ストーカー犯罪がそうであったように、世間の一般常識人どころか、犯罪相手のプロの弁護士や警察まで「そこまでやる人はいないだろう」と、笑って信じないレベルのことまでを「自分の感情に素直に」「正義のために」で自分を誤魔化し、やってのけます。

相模原市の障がい者施設殺傷事件の犯人が、重度の精神疾患患者であったのか、それとも人格障害者なのかは判断ができませんが、一説によれば「神に命じられたから」という理由で、戦後史に残る大量の殺害被害者を出したという話も聞きます。

差別のない社会をつくることは大事なことです。

しかし一方で、よい意味で「差別と区別」を混同してしまう「優しすぎる社会」は、まっとうな罪もない人たちが、人生や命や名誉を失わされるリスクを増やしてしまうこともあるのです。

この国の、障がい者対策や福祉が、なにを目的として、どこへ行こうとしているのかはまだ判断できかねますが、国や集団ヒステリーが、差別や切り捨てを行なう前に、われわれすべての人々が「（どちらかの）当事者感覚」を持って、よい偏見もわるい偏見も捨てて「そこにある事実」を、共有するべきタイミングが、きているのかもしれません。

最終章
世界のゆくえ

オリンピックか、コロナ対策か

2020/03/25

ベルリン時事によりますと、「世界保健機関（ＷＨＯ）のテドロス事務局長は９日にジュネーブで行った記者会見で、新型コロナウイルスがパンデミック（世界的流行）に発展する可能性について、「脅威はかなり現実味を増した」という認識を示した」とのことであります。

（ベルリン時事通信サイトより。23020/03/10）

「致死率 インフルよりはるかに高い」米研究者 新型ウイルス

ＮＩＨ＝アメリカ国立衛生研究所で新型コロナウイルス対策を率いるファウチ博士は 11 日、議会下院の監視・政府改革委員会で証言しました。

このなかで、ファウチ博士は新型コロナウイルスの致死率について、中国を含めたデータはおよそ３％であるものの、ウイルスに感染していても症状が出ない人もいることから、実際には感染者はさらに多いとして、致死率はおよそ１％と分析していることを明らかにしました。

そのうえで「インフルエンザの致死率は 0.1％であり、致死率は 10 倍高いことになる」と述べ、新型コロナウイルスの致死率はインフルエンザよりもはるかに高いと指摘しました。

また、今後の感染拡大の可能性についてファウチ博士は「結論を言えば、状況はさらに悪化するだろう」と述べ、さらなる感染の拡大は避けられないとの認識を示しました。

（NHK NEWS WEB より。2020/03/12）

えぇ、今回はただならぬ雰囲気の中お伝えする多事争論であります。国民の皆さんももう先刻ご承知の通り、新型コロナウイルスの猛威は、中国から始まり、今や全世界を恐怖のどん底に陥れています。

特に韓国とイタリアの打撃は強く、その中でもイタリアでは５年前に医療費削減のための政策が実施されてしまったために、現状病床数は日本の 30％にも満たない数で、本来 ICU に入らなければいけない重症者も順番待ちという事態に陥っています。

韓国は、WHO からは封じ込めに成功した事例として紹介されていますが、これも累計 21 万件に及ぶ PCR 検査の賜物であり、しかし国内経済に与えた打撃はまだ回復しそうにありません。

当初は、デマレベルで 0.2% 程度と言われていた致死率も、WHO の最新の発表では、インフルエンザの 10 倍に当たる 1% だと判明。

対エイズ治療薬、喘息薬などが対処療法として流布されていますが、医学界にこれといった決め手はありません。

私が通うクリニックでも「PCR 検査をそんなに急いでも意味がない。なぜなら検査で陽性とわかっても、決定打となる対処法が世界にまだないのだから」とのことでした。

これは絶望です。

私などは、若い頃に読み、映画もかたずをのんで見守った『復活の日』序盤を思い出してしまいましたが、それを想起する同年代も多いのではないでしょうか。

中国武漢で発生した今回の新型コロナウイルスは、なまじ武漢に中国の化学兵器研究所があるばかりに「細菌兵器ではないのか」との思い込みデマを呼ぶ形になってしまっています。

もっとも、化学兵器で細菌兵器を開発する際は、どこの国でもどの手法でも、細菌兵器と並行して、自国民が無事でいられるようにワクチンも同時開発しますので、ウイルス発生後の中国政府のあの慌てぶりを見る限り、ワクチンはあらかじめ用意されていたわけでもなく、新型コロナウイ「ルスが中国の細菌兵器である可能性は低いのではないかとも思われます。

もっとも、上記した『復活の日』では、小松左京氏の筆で、まさに「ワクチンが開発される前の毒性と感染性が極めて高いウイルス」が世に放たれてしまった恐怖を描いているので、やはりこの物語を思い出してしまう人が多いのも否めません。

今現在は、すべてが感染予防優先で、街からはマスクが消え、あろうことかトイレットペーパーまでもが消え、静かなパニック状態に陥っていますが、この先待っているのは、おそらく世界規模の、リーマンショックを超える経済社会への打撃でしょう。

国内だけでも、外食産業、イベントビジネス等がすでに被害を受け、政府が推奨するテレワーク勤務も、それを実践できない中小企業には意味がありません。

政府の施す補償も、母子家庭などの負担を考えると驚くほど安く、私たちフリーランスの補償に至っては4000円前後で、その選定基準も「政府が定めた基準時給の４時間分」という馬鹿げた理由です。政府は私たちフリーランスは、一日４時間しか働いていないと思っているわけです。

トイレットペーパーパニックの引き金になったのは、製紙業界の材料輸入先が中国であるとの話から、中国との貿易がストップするので、手に入らなくなるのではないかとのデマからでしたが、そのデマはともかく、新型コロナウイルスが世界貿易に影響を与えることは確実で、すでに人材に関しては、日本からの渡航やビザ発行を拒否する国も出てきています。

唯一静かなのは、南アメリカやアフリカなどの南半球の情勢ですが、これは決して、南半球が新型コロナウイルスと無関係であることを示すものではなく、数字と実態が明らかになっていないという現状の恐ろしさを想像するべきでしょう。

それは日本も同じです。

先ほど述べたように、韓国では検査が進み、結果として7000人を超す感染者と、50人を超す死者がはじき出されました。

それに対して日本は、感染者は500人程度、死者はまだ一桁と、まさに優等生的数字を叩き出していますが、実は日本で行われたPCR検査数は7000前後。韓国の1/25でしかありません。これを基に均等に25倍すると、日本の感染者数はおよそ１万2000人、死者は200人に達するとも言われています。

日本は決して、新型コロナウイルス安全国ではないのです。

では、なぜ日本はPCR検査をここまで頑なに拒むのでしょう。

和歌山の新型コロナ“封じ込め”対策
ポイントは「早期」と「徹底」

新型コロナウイルスの感染が全国に拡大する中、和歌山県では済生会有田病院（和歌山県湯浅町）から医師や入院患者、家族らに広まった感染を３週間かけて収束させ、同病院は通常業務の再開にこぎつけた。この間、県が強調してきたのは、対策を「早期に徹底的に」行っていくこと。

（産経新聞 web　2020/03/07）

このように、日本でも県知事権限で、PCR 検査対応を率先している地域もありますが、それをなぜ、日本政府は実践しないのか。

簡単です。
政府自民党は、何が何でも「東京五輪」と「憲法改正」を行ないたいからです。
そのためには、国民の生活や経済、生命は脅かされても構わないからです。

安倍政権内部で新型肺炎は“神風邪”憲法改正に利用の動きも

政権内部では新型肺炎をひそかに「神風邪」（カミカゼ）と呼んでいるのだという。自民党ベテラン議員が語る。

「安倍総理にはまだ悪運がある。本来なら、今国会は IR 汚職や桜を見る会問題などの不祥事追及で窮地に陥ってもおかしくなかった。そこに新型肺炎の流行で国民の関心が外に向いた。官邸は上陸を水際で食い止めることができれば支持率も上がると張り切っていて、武漢からの政府チャーター便を国会審議の時間帯に合わせて帰国させるなど、巧妙に利用している」

事実、チャーター便の第一便が到着したのは、ちょうど参院予算委員会で立憲民主党の蓮舫氏が「桜を見る会」問題を追及したタイミング。

安倍側近の世耕弘成・参院幹事長は、「このシチュエーションで感染症について質問をしない感覚に驚いています」とツイートし、“疑惑追及より新型肺炎が重要”とアピールしてみせた。

（MSN news　20208/03）

この記事冒頭のほうで、WHOが新型コロナウイルスの脅威を改めて発表したときに、同時にアメリカは、国民最大の娯楽である米プロバスケットボール（NBA）はジャズの選手に新型コロナウイルス感染者が確認されたため、シーズンを中断すると11日（日本時間12日）、発表しました。この日の試合終了をもって当面の試合を行わないとされています。

しかし、オリンピックを控えてる日本の対応は、感染の可能性がある病人への冷たさとは比較にならないほど強いといっていいでしょう。

大相撲、プロ野球オープン戦、各種マラソンなどが無観客試合となり、春の高校野球は丸ごと中止になりました。プロ野球もシーズン開始が遅らされ、私の母が活躍していた宝塚歌劇団も当面は公演を自粛することになり、各イベント、コンサート、美術館、ありとあらゆる「人々が集まる娯楽の場」が封鎖されつつあります。

それもこれも、私はやはり「東京五輪を強行するため」だと思っています。

五輪前の、野球でもコンサートでも、大型イベントでコロナ騒ぎが起きれば、コロナ騒動初動のダイヤモンドプリンセス号事件を知っている世界各国は「それみたことか」と言うでしょう。日本が意地になって五輪を開催しても、選手団を派遣してこない国もあるかもしれません。

そうならないためには、日本はなんとしてでも五輪を開催するまでの間、「世界に見える形でのコロナ騒動」が起きてはならないのです。

繰り返しになりますが、これは政府が国民を守ることを第一として掲げた目標ではありません。現状のPCR検査への消極的態度や対応などから見えるように、国民が何万人感染しようと、死者が何百人出ようと、政府は「五輪ができれば」それでいいのです。五輪さえできれば、国内経済は活性化し、我が国は国力を取り戻す。そんな妄想にすがっているのが現状の日本政府なのです。

かつて爆発的に人気を呼んだ、大友克洋氏の漫画『AKIRA』は「2020年予定の東京五輪が、寸前に（漫画内で起きた重要な事件で）中止になった東京」が舞台でした。

その中で、AKIRAという存在は、原子力の一つの暗喩として描かれていましたが、では現状の日本を脅かすのは新型コロナウイルスだけかというと、実はコロナ騒動に隠れて、ツイッターでひっそりとこんな事実が発信されておりました。

> 福島原発汚染水、国や東電は、アルプスでトリチウム以外の放射線物質は除去できるとしてきたが、トリチウム以外の放射線物質が含まれている事実が明らかになったのは、2年前になってから。
>
> 汚染水にはトリチウム以外も含まれている。国民を騙して政府は海洋放棄をもくろんでいる。

そう、私たちは、9年前のあの悲劇の爪痕と放射線から、まだ完全に脱却しきれていません。

むしろ、そこでできてもいない「放射線からの脱却・安全な日本」をアピールするはずだった東京五輪で、今度は新型コロナウイルスが待ち構えているのです。

ここからは、少し駆け足ながら、コロナ騒動の恐ろしき足跡を追っていきましょう。

私がこの原稿を書いているのが2020年の3月25日になります。ここまでの流れです。

まずは、五輪肝心の聖火リレーが、スタート国家のギリシャで事実上の中止に追い込まれました。

もともと聖火リレーは、1936年ベルリンオリンピックにおいて、ナチスドイツが「『古代ギリシヤ文明はアーリア人によるもので、その正統な後継者はドイツ人である』という歪曲した歴史観によって始めたもの」と、映画評論家の町山智浩氏もツイッターで書いている通りで、これを何が何でも神聖視しようという動きそのものが人命軽視と言えるのではないでしょうか。

そして、ほぼ同時に、スペインで今度は非常事態が宣言されました。

> 2020年3月13日。スペインのサンチェス首相は、13日、テレビを通じて演説し、新型コロナウイルスの感染の拡大を抑えるため、非常事態を宣言しました。
>
> スペインでは13日の時点で、新型コロナウイルスの感染者が4209人、死者が120人に上り、急速に感染が広がっています。

そして世界一の大国、アメリカはスペインと同じく、とうとう非常事態宣言をトランプ大統領が出しました。

トランプ大統領は記者会見で「状況は悪化する可能性がある。今後８週間が重大な局面となる」とし、「連邦政府の全権を解き放つために、非常事態を宣言する」と表明した。さらに同宣言によって「新型コロナ対応に向け最大５００億ドルの拠出に道を開く」と述べました。

その上で、各州に対しては新型コロナ対応の緊急センターを設置するよう促し、「われわれは必要なケアの提供に向け、あらゆる障害を取り除く」と言明しました。

後で述べますが、実はトランプ大統領の宣言の「ここ」に、人類が新型コロナウイルスに打ち勝つ唯一のブレイクスルーがあるのです。

しかし、それを受けて、我が国では 13 日の新型コロナウイルス対策の特別措置法議決を受けて、決定打となる安倍首相の緊急記者会見が 3/14 夕方に行われましたが、その内容は歴史に残る陳腐なものでした。

曰く「現時点で『緊急事態』を宣言する状況ではなく、今後慎重に判断していく」とだけ。

この会見はつまり、曰く。会見内容自体は、国家緊急事態宣言ではない。具体的な経済政策も医療対策も言及がなく、五輪延期も絶対しない構え。

医療に関しては、感染病床数 1 万 2000 床と人工呼吸器 3000 個を確保したといばるものの、それを現場で扱う医療従事者の確保に関してはまったく考えが及んでいない様子。

PCR 検査も、現状の 1.5 倍に増やすと豪語しましたが、もともと上で書いていたように、検査数自体が韓国の 1/25 ですから、焼け石に水というのがせいぜいのところ。

結局終わってみれば安倍会見は、「首相は頑張ってるぞ」アピールと、「必ずや新型コロナに打ち勝つ」「東京五輪の延期も中止も考えていない」

「爆発的感染は見られないから緊急事態ではない」といった、願望的精神論ばかりに終始して、具体性に欠け、いわゆる本気というものがまったく感じられませんでした。

しかも安倍総理も小池都知事も、なんとしてでも五輪の通常開催へ向け「予定通り」を強調し続けましたが、問題は「五輪を開催しても、各国の選手団が来日するのか」でありましょう。

そんな日本の呑気な自己陶酔の一方で、世界各地の自粛連鎖はますます拡大。

4月9日からのマスターズゴルフの開催も中止。世界バドミントン連盟もワールドツアーを中止に決定。サッカーやその他の大会でも中止が相次いでいます。

そのさなか、3/14にはアメリカで、「COVID-19（新型コロナウイルス感染症）媒介物報告書」がまとめられました。

新型コロナウイルスは3日間滞留し空気中で3時間生存…
弱点は湿度＝米で報告書

アメリカの「アレルギー感染症研究所」「国立衛生研究所」「国防総省先端技術開発庁」「全米科学財団」などの委託を受けて行われた「COVID-19（新型コロナウイルス感染症）媒介物報告書」がまとまった。

今後、プリンストン大学、カリフォルニア大学ロサンゼルス校、国立衛生研究所の専門家による内容精査が行われる。その概要が11日に公表された。その報告によると、今回のCOVID-19の感染力のしぶとさが想像以上に大きいことが明らかになった。

要約すると、以下の通りである。「COVID-19のウイルスは空気中であれば3時間、プラスチックなどの表面の場合には3日間ほど滞留する」。そのため、「ヒトは空気感染や媒介物による感染リスクにさらされることになる」。

この発見は重大だ。なぜなら、感染者と接触しなくとも、空気感染でウイルスが拡散する可能性がある。今後、専門家がチームを組み、空気感染するのかを確認することになっている。

その一方、弱点があることも明らかになった。それは湿度に弱いということだ。加湿器を使い、湿度50％でカ氏72度（セ氏22.22度）にすれば、ウイルスの活動が収まることが判明したという。

（Yahoo News　2020/03/14）

私はこの、アメリカの研究所発信情報を嘘だという気は毛頭ありません。これだけの専門家たちが寄り合って、世界を襲う脅威に対する研究結果として公表したのです。おそらくかなりの確率で的を射ている分析結果なのでしょう。

しかし馬鹿げてます。

バカバカしすぎます。

研究結果や研究者たちを揶揄しているのではないのです。

こんな、三流SFラノベのような設定に、本当の人類社会と世界が、その脅威に脅かされているのです。

問題はそれだけではありません。

韓国、アメリカ、イタリア、スペインといった諸外国と比較しての、我が国の政府首脳の、問題意識の浅さと、目先の銭欲しさからくる、五輪特需目当てのごまかし体制は、これは「空襲など怖くない」などと国民を騙し続けて国土を焼け野原にして敗戦に陥った、戦時中の政府と何も変わりがないのではないかと私は思うのです。

ネットのSNSではこの時期、安倍晋三政権支持者たちは、新型コロナウイルス問題に関して、かたくなにPCR検査を推し進めようとしませんでした。ある人は「精度が50％しかないから無駄」といい、またある人は「費用が一回１円程度の検査に期待する馬鹿はいない」というのです。

冷静に考えるのであれば、50％の精度で一回１円で済むなら、全国民受けさせて安全性をアピールすべきでしょう。それをしない、それができないことを、愛国者たちは知っていたのです。

また、陰謀論に近い形で安倍政権が、わざと新型コロナウイルス事情を放置しているという見方も、今度は反安倍側から出てきました。

曰く。高齢者や医療費がかさむ糖尿病患者などは、いっそコロナで倒れて亡くなってしまえば、後期高齢者問題も緩和されるし、福祉に回す国庫負担金も軽減できるとふんでの放置だというのです。

あくまでフォークロアの域を出ない想像ですが、私にはこの説を否定する材料もなく、最初に目にした時は背筋に冷たいものが走ったのを覚えています。

そんな中、ワシントンロイターは14日、米国の大決断を発表しました。

［ワシントン　１４日　ロイター］

米下院は14日、新型コロナウイルス感染拡大に伴う経済への打撃緩和に向け、無料検査や有給病気休暇を盛り込んだ数十億ドル規模の対策法案を363対40の圧倒的賛成多数で可決した。

トランプ大統領は法案を支持すると表明しており、来週に上院を通過する可能性が高まっている。今回の法案には大統領が求めていた給与税減税は含まれていない。

その上でさらに翌日。政策金利を1.00％引き下げ、年0.00～0.25％にすることを決めた大型金融緩和を発表。トランプ大統領は経済崩壊を抑止に走ることになります。

この余波を受けた翌日には、ロンドン株式市場が、7% 以上の下落を受けて混乱の渦中に入りました。

一方の日本経済は、このトランプ政権ゼロ金利政策に追従する形で、日銀が新たなる対策を打ち出しました。

> 日銀 追加の金融緩和を決定 金融政策決定会合
>
> 日銀は16日、金融政策決定会合を前倒しして開き、３年半ぶりとなる追加の金融緩和に踏み切ることを決めました。
>
> 新型コロナウイルスの感染拡大によって金融市場の動揺が続いているうえ世界全体の経済が減速するおそれが高まり景気を下支えする必要があると判断しました。
>
> 金融市場に大量の資金を供給するため多くの株式をまとめてつくるＥＴＦ＝上場投資信託の買い入れ額をいまの年間６兆円から当面12兆円に増やします。
>
> （NHK WEB NEWS　2020/03/06）

この日およそ３年半ぶりに金融緩和を打ち出した日銀。

しかし、期待されていた株価上昇はみられず、先週末より下がった値で取引はこの日は終了。欧米の金融緩和も決定打となり得ず、世界経済はリーマンショックを超える打撃を受けました。

安倍首相が学校の休校やイベントを「1、２週間自粛してほしい」と言い始めてから、この時点で20日間が経過。その間、マスコミや記者会見で今後の展望を問われても、安倍首相は「あと１週間か２週間で、事態は山場を超えますので」という、壊れたスピーカー状態。

これではさすがに国民も、おためごかしの根拠なしの自粛ストレスを一方的に押し付けられていることに気づき、市井はざわざわし始めました。

五輪の開催、中止の決定権は実際はIOCにしかないのですが、それまではかたくなに「開催」一本鎗だった五輪関係者の口から「延期」という言葉が出始めたのもこの頃。

延期は五輪の概念にはないゆえに、水面下でJOCがIOCに接触を図った感触ゆえとも言われ、中には「あえて一年延期することで、これ（2021年）を安倍政権の花道にしたい」などという不謹慎な言葉が永田町でも聞こえるようになりました。

また、経済専門家などから提唱された「一時的な消費税の撤廃」や「5%への引き戻し」案などにも、むしろ政府関係者や政府寄りの経済家からは「キャッシュレスのポイント還元が現実的」「自宅待機児童等がいる家庭限定で」などと、さらに混乱化を招きかねない発言が頻出しました。

この時点で（国が新型コロナウイルスが原因と正式に認めた）国内死者は31人を越え、国民のストレスもピークへ上がっていったのもこの時期でした。

東京都内では例年より異例の速さで、3月14日に桜の開花宣言が出されましたが、花見も事実上の禁止の自粛。

私の人生でも、ここまで自粛が悪い意味で蔓延し過ぎたのは、昭和天皇崩御の時以来でした。

しかし、そんな悠長な理屈がウイルスに有効なはずもなく、国内でも西前頭15枚目の千代丸や、タレントの志村けん氏、日本サッカー協会の田嶋会長等がコロナ陽性となり、着実に波は襲いかかってきております。

3月14日までに日本国内で実施されたPCR検査の数は2万3356件。

そのうち、政府が設置した相談センターに寄せられた症状の中から検査まで辿りついたのは、16万件の相談中5000件未満と、これは果たして傍から見る限り「ふるい落とし」と見なされても仕方がない数字と言えるのではないでしょうか。

違う言い方をすれば、日本はこの時点では「偽りのコロナ優等生国家」であったわけです。16日にはNYダウが3000ドル近く暴落。そしてヨーロッパで、8カ国が国境を閉鎖。各国は事実上の鎖国政策に入りました。

イタリアやフランスの緊急事態を知れば、地続きである諸国がそれを決行することも、理解もできますし、一時的には仕方ないとおもえます。

その上で、この時点では世界では「医療崩壊」という絶望的な言葉も、聞かれるようになりつつありました。

これに関しては、この問題の根幹でもあるので、後に語りますが、感染者が2万人を超えたイタリアから始まった医療崩壊。それは病床数の少なさだけではなく、感染者が集まった医療施設者に対する院内感染も深刻化。それは徐々にヨーロッパを侵食しはじめ、世界を包み込みはじめたのです。

ヨーロッパがパンデミックに見舞われたことで、それまで以上に「未確認地帯」だったアフリカなどの南半球が、貿易などで接触感染の危険に見舞われたことは間違いがありません。

その後、G7緊急電話会議が行われますが、そこでも安倍首相は東京五輪の「完全な形での開催」に拘っておりました。

しかし、米国では最悪170万人が死亡する試算がCDCにより発表されます。そしてフランスの感染者は、とうとう6000人を越えました。そのフランスではとうとう国民に、外出禁止令が発令されます。

> これまでのデータからすると、１００万人を無作為に選んだ場合実際に感染している人はおそらく１０人程度であろう。その１０人を探すために貴重な医療資源が使われて誤判定が繰り返され、結果として医療現場が崩壊する。
>
> （夕刊フジ 2020/03/18）

先ほども述べましたが、日本の「コロナ認定患者数」の優等生ぶりは、韓国やフランスに比べての、PCR 検査の絶対数の少なさからきているものであり、実数とは言い難いものがあるはずです。

しかし麻生副総理は「日本はＶ字回復へ向かっている」と主張しています。これではまるで、最前線の戦いで多数の戦死者を出し、負け続けている戦地を他所に、連戦連勝をアナウンスしていた、戦時中の大本営発表と、なんら変わりはないではありませんか。

そして 3 月 20 日。新型コロナウイルス対策の専門家会議がまとめた提言書が発表されました。21 日には欧州で、イタリア 1 日で最多 627 人死亡。イギリスでは一斉休校が報じられました。アメリカも同日、ニューヨークを含める各州で、外出禁止令が発令されたのです。その上で、米国政府は事態を「レベル 4」と認定。

これはもはや「人類の存続の問題」なのです。

しかし、一方で日本はあまりにも呑気すぎます。

確かに有名人にもコロナ患者は発生しましたが、起きたパニックは、マスクとトイレットペーパー程度。

皆さん、おかしいとは思いませんか？

本当に日本は、「安全で対コロナ優秀国家」なのでしょうか。

日本のコロナ状況は、オーバーシュートに向かうのか、アウトブレイクなのか、パンデミックなのか、あえて国民に見えない形をとって、国が自分たちだけの国益の果実を得ようとしているように見えます。
そんなななか、とある note で弁護士の吉峯耕平氏は、こう書き記しました。

> 弁護士　吉峯 耕平氏の note（2020/03/20）より
>
> 私の理解が間違っているかもしれないけれど、さっきの私の素人計算の重篤化 200 万人と、人工呼吸器で救命できるキャパシティーは 1 万人×回転数しかないことを組み合わせると、200 万人くらいが死亡するということになるのかもしれない。

200 万人……恐るべき試算値です。
考えるだけでも背筋が凍ります。

私が先ほど述べたこと。
新型コロナウイルスの「本当の恐ろしさ」は、実はその毒性ではありません。
コロナ自体の毒性はそれほど強くなく、持病や高齢者ではなければ命に別状がないレベルで済むとは言われています。
しかし、このウイルスは驚異的な感染力を持つのです。そして、今書いた逆を言えば、高齢者や持病者に対しては、致命傷を与えるのです。

私が今回の件で、話をうかがうことができた医療関係者がおっしゃっていました。
コロナの疑いが出れば、検査をするしかない。検査をして陽性だった場合、隔離しなければいけない。治療に当たるときも、院内感染を防ぐために綿密な防御状態を保たなければいけない。
それが 24 時間続くのです。
そして、患者がひとたび重症化すれば、人工呼吸器や ECMO も大量に必要になってくるのです。もちろん、マンパワーもです。

コロナが一人にもたらす脅威はそれほど高くありませんが、爆発的な感染力を前にしたとき、国家単位で防ぎきれるレベルではないのかもしれないのです。

そう、まるで今回のもう一つの主題の、東日本大震災で福島原発を襲った津波のように。

話してくれた医療関係者は、ゾンビを例えに出しました。

個別対応なら脅威ではないが、エンドレスで群れを成して襲ってくる隔離必須患者を、日本の医療体制は受け入れ続けることができるのか。そこが焦点なのです。

とにかく、数日で病院を一つ建造してしまった中国政府の対応を、多くの日本人が嘲笑しましたが、アレは「正しい対応」だったのです。

ようやくこの時期にきて、事態の重さに気がついたのか、日本の政府も重い腰を上げ始めます。

わたしが今も住み続けている首都・東京が、封鎖される可能性があるというニュースが小池都知事経由で飛び込んでまいりました。

しかし、それでも安倍首相は、自らの任期中に五輪を開催したいとの思いが強く、自民党では無駄な派閥争いが、岸氏や石破氏との間で繰り広げられてると言われています。

しかし、さすがの安倍政権も、各国が選手団を送り込んでこない現実を前にした時、開催を延期する選択肢をとらないわけにはいきませんでした。

現在、この原稿を私が書いている時点では、東京五輪は2021年7月23日に開催するとIOCは発表しましたが、それに対して米紙USAトゥデー（電子版）は「無神経の極みだ」とIOCを批判し、「せめて暗いトンネルを抜けて光が見える時まで待てなかったのか」と指摘している状態です。

そうなると、些細な事ですが、無人のまま日本へ運び込まれた聖火のゆくえはどうなるのでしょうか。

ジャーナリストの本間龍氏が伝えるところによると、聖火リレーがスタートするはずの福島のＪビレッジで、100万ベクレル/kgを超える汚染が確認されたのですが、政府も福島県もJOCも東電も、どこからも、その事実は伝えられていないのが現状です。

本当に、私たちは本当に「上を向いて歩こう」だけでいなければいけないのでしょうか。足元を見なくてよいのでしょうか。

私たちの国は、本当に五輪さえ行なえば、豊かで平和で安全な国になるのでしょうか。

まだ傷跡深い放射線を背に、迫りくる人類の脅威ともいえるウイルスを前に、私たちはただ「上を向いて」いればいいのでしょうか。

放射線とウイルスに侵された聖火のゆくえ。私たち日本人のゆくえ、日本のゆくえ。

歴史はまだチャンスと時間を私たちに残してくれているはずです。

まだ打てる手筈はあるはずだ、間に合うはずだ、と生きていきたいと思います。

寄稿　市川大河氏のこと　　漫画家・須賀原洋行

去年の暮れ、市川大河さんから「市川大河の web 多事争論」を書籍化するにあたり、巻末に寄稿してほしいというご依頼をいただいた。あれから、記事をじっくりと読ませていただいたのだが、内容に関しての論評は避けたいと思う。なぜなら、多くのテーマにおいて、私と市川さんはかなり考え方が違っていて、ツッコミばかりになりそうだから(笑)。なので、ツイッターで市川さんと相互フォローの関係にある私が日頃感じている、市川大河さんのイメージを書かせていただこうと思う。

まず、市川さんのアイコンが怖い (笑)。直に会ったら、もっと怖いだろう (笑)。でも、ちょっと話し始めたら、おそらくその印象は一気に変わるに違いない。多分、すごくお優しい方なのだと想像する。

日頃、ツイートを拝見していて感じるのは、作品表現に関して、とても真摯な姿勢を持っているということ。ありきたりな視点、視線ではなく、独自の切り口を持っている。特に「ウルトラマン」関連では一家言どころではなく、いったい引き出しが何段あるんだと驚くくらい造詣が深い。

考え方にキレがある人なので、ツイートに反発する人もたまに来るようだ。しかし、市川さんはけっして熱くならない。実に冷静に受け答えする。他者のツイートに反論する時も実に論理的だ。どうしようもないクソリプはスルーする。私なんか、クソリプについ反応してしまうので、見習いたいところだ。

私が保守的な意見をツイートした時などに、市川さんがリベラル視点から私にやんわり反論してくることがある。まず、こちらの言い分を認めた上で、人ではなく内容に反論してくるので、まったく腹が立たない。こちらも向こうの言い分の認められる部分を探して、対話が成り立つようにしたいと思わせられる。

ただ、一点、「表現の自由」に関しては、私と市川さんは温度差があるようだ。市川さんは､例えば､日赤の献血ポスターに使われた宇崎ちゃんのイラストだとか、沼津特産の西浦みかんの宣伝に使われたラブライブのイラストなどにフェミニストがクレームをつけた件では、フェミニストの言い分を聞いて折り合いをつけることを提案しておられるが、私は全面的に表現の自由のほうを推す。

というのは、私は長く大手のマンガ誌で連載を持っていたのだが、毎週のように読者から表現にクレームが来ていた経験があるからだ。掲載されているマンガのほとんどに、なんらかのクレームが来る。他の作家さんに来たクレームについてはプライバシーなので言及を避けるが、私が食らったクレームだけでも､「ホモ」は差別用語だ､「ジプシー」は差別用語だ､「ケイレン」は癲癇の人を傷つけるのでやめろ、黒人の絵を描く時に唇を厚く描くな、妻の妊娠・出産の話を幸せそうに描くと子どもができない人を傷つける、などなど、他にもたくさんある。そういうのをすべて聞き入れて直していったら、そのうち、表現恐怖症になって、アイデアが頭に浮かばなくなるんじゃないか、そんな心配を本気でしたほどだ。

ネットがなかった時代で、これである。今はSNSなどでマンガやイラストなどに、ネットで有名な弁護士さんとかが一度クレームをつけると、加速度的にクレームが増えて大炎上する時代。数年前に似たような表現があったが、誰も目をつけなかったから全然騒ぎになってなかったような、その程度の表現だ。

なので、私も市川さんも表現側の人間だが、私は市川さんのように優しくはなれない。このスタンスの違いは、超えられない壁なのかもしれない。

ともあれ、考え方が違う者同士が相互フォロワーになって、時に議論もし、このように寄稿を頼まれたりすることもあったりして、総体的には良い時代になったのかなあとも思う。

「市川大河のweb多事争論」、末長く続けて下さい。

須賀原洋行

1959年生まれ。漫画家。80年代「コミックモーニング」で『気分は形而上』連載が大ヒット。その後も『よしえサン』『天国ニョーボ』などベストセラーを多く輩出する。哲学や政治思想、社会学などに精通している。

あとがき

えっと、あとがきです。

いや、わかる人にはわかるネタなんですが、この「えっと、あとがきです」は、小説も一流であとがきも好評で一世を風靡したSF作家・新井素子女史のあとがきの、書き出しのお約束なのです。

なぜそんなネタから入るのかというと、その新井女史や私が、思春期に心底憧れたSF作家が、『ウルフガイ』『幻魔大戦』の平井和正氏なのですが、そんな平井氏もあとがきがエンターテインメントな「元祖・あとがき作家」であり、私が今こうして文章業で糊口をしのいでいられるのも、三十路に入る頃に大病を患ったときに、平井和正先生との出会いがあり、そこからライターとしての私が始まったからであります。

ですので、いきおい「三代目・あとがき作家」（自称）としては、あとがきに力も入ろうというものなのですが……。

かといって、何か巧いことが書けるという訳でもなく、これが小説や作劇であれば、私の人となりなどをお伝えすることで本編とのバランスはとれるのですが、なにぶんここまで、「多事争論」し続けてきて最後のあとがきな訳ですから、自分の何を語っても今さら感が出てしまうのも事実。

でも少し、プライベート的なことをあとがきでは書いておこうと思います。

このたびの本書は、縁あって私、市川大河の初の単著ということになり、ライター生活20数年。ようやく遅すぎる著書デビューとなった1冊であります。

シミルボンで細々と書いてきた「多事争論」を1冊にしないかというお話は去年の年末からいただいておりましたが、間に入っていただいたコーディネーターの方と、プロスペシャリストの編集さんのおかげで、なんとかこうして、皆さんのお手元に届けられるように着地いたしました。

しかし、それと並行する形で、この書籍の企画が持ち上がってから完成するまでの間に、私事ではありますが、３人の友人が他界するという沙汰もありました。

３人は３人とも、編集者、画家、史学研究科と、クリエイティブな仕事にあり、ただ互いの面識はなく、しかし私からしてみれば「私がもし単著デビューできたら、その次は必ず一緒に仕事をしよう」と約束をしあった仲の友人たちばかりでした。

なので私も、本書を再構築し、加筆修正や構成をしている間も、何度もショックに見舞われ、哀しみ、肩を落とし続けてきました。

改めて思うと、３人の友人たちには、完成した本書は届けることができなかったのです。

それを悔やむ自分もいます。泣きぬれて佇むしかない自分もいます。

しかし、私はそれらのできごとも「試され」ているのだと、受け止めることにしました。

私が本書の上梓に取り掛からなければ、三人の命が救われたという訳でもないでしょう。

私は昔から、私を頼って相談にきたり、悩みを打ち明けにきた若い人には、必ず「今ある状況に迷ったら、信じられるものを見失ったら『事実』だけ見なさい。事実は動かない。事実は先入観や思い込みで上書きされない」と告げ続けてきました。

私にとっても、「今」がその「事実」なのです。

３人の死も、この本の出版も「動かない事実」。

愛した友人たちがいなくなったこの世界で、新たに著作持ちの身として未来へ向かって前進していく。

私には、過去に出会った多くの人々や、失ってしまった縁に向けて誓った、目標や夢がまだまだあります。

そこへ向かって、私は歩み続けます。

本書は「そういう意味」で、私という人間をフィルターにして、私たちがこれからも進んでいく、歩んでいく「社会」が、どういうものなのか、を読者の皆さんと共に考えるテクストになればと思っています。

さて、あとがきもそろそろ終えなければいけません。

敬愛する新井素子女史は、さらに敬愛する平井和正氏の小説『ウルフガイ』のラスト一行を、毎回のあとがきの最後に書き記し続けております。

ですので、お二人の後を進む私も、その言葉でこのあとがきを締めたいと思います。

この本ができるまで、お世話になった伊藤淳子女史と、いつもTwitterで懇意にさせていただきながらも、寄稿まで快諾してくださった漫画家の須賀原洋行先生。そして日本地域社会研究所の担当編集、大泉洋子女史、並びに同社、そして今この書を手にしてくださっている読者の皆さんに最大限の感謝の念を抱きつつ……。

必ずまた、お目にかかろう。

2020年4月

市川大河

本書は、書評サイト「シミルボン―本も読書人も、オモシロイ」にて好評連載中の「市川大河 web 多事争論」より、著者・市川大河が 25 話を選び、加筆して 1 冊にまとめたものです。

シミルボン　https://shimirubon.jp/

著者紹介

市川大河（いちかわ・たいが）

1966年生まれ。東京・青山出身。フリーランスライター・脚本家・演出家。大学在学中から、東映、松竹を中心に助監督・制作進行の仕事を開始。刑事ドラマから、Vシネマなど60本近くの映像作品に携わる。30代からフリーランスの物書きへと転身。別冊宝島『このゲームがすごい！』『月刊ゲーム批評』等でゲームレビューが好評となり、60年代・70年代サブカルチャーをメインに『別冊宝島』『月刊バラエティ』『季刊宇宙船』等で活躍。主要ジャンルは、SF・ミステリー等の文学評論をはじめとして、邦画・洋画・邦楽洋楽ロック・70年代ドラマ・特撮・アニメ・刑事ドラマ・NHK朝ドラ等々の批評や評論など。また、アーティスト楽曲のプロデュースや作詞、メルマガ構成、ラジオ番組や舞台演劇などの企画・構成も手掛ける。(株)KADOKAWA「電脳たけくまメモ」構成執筆。（株）ニッポン放送舞台演劇「ニートの神様」企画。同「カミサマ未満」企画・脚本・演出。また2016年の映画「ロリさつ」ではプロジェクトコーディネーターを務めている。現在、（株）ブックリスタの書評サイト・シミルボンでは、開設以来ベスト5圏内を維持中。

スマホ・ＳＮＳ時代の多事争論　令和日本のゆくえ

2020年6月5日　第1刷発行

著　者　市川大河

発行者　落合英秋

発行所　株式会社 日本地域社会研究所

〒167-0043　東京都杉並区上荻1-25-1

TEL　(03) 5397-1231（代表）

FAX　(03) 5397-1237

メールアドレス　tps@n-chiken.com

ホームページ　http://www.n-chiken.com

郵便振替口座　00150-1-41143

印刷所　中央精版印刷株式会社

ISBN978-4-89022-261-2